# A-Z SLOUGH and

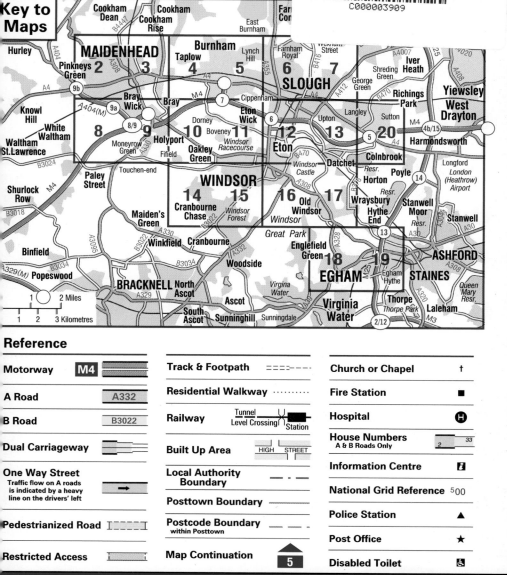

## Reference

| | | |
|---|---|---|
| **Motorway** M4 | **Track & Footpath** | **Church or Chapel** † |
| **A Road** A332 | **Residential Walkway** | **Fire Station** ■ |
| **B Road** B3022 | **Railway** Tunnel / Level Crossing / Station | **Hospital** Ⓗ |
| **Dual Carriageway** | **Built Up Area** HIGH STREET | **House Numbers** A & B Roads Only 2—33 |
| **One Way Street** Traffic flow on A roads is indicated by a heavy line on the drivers' left → | **Local Authority Boundary** | **Information Centre** ℹ |
| | **Posttown Boundary** | **National Grid Reference** 5⁰⁰ |
| **Pedestrianized Road** | **Postcode Boundary** within Posttown | **Police Station** ▲ |
| **Restricted Access** | **Map Continuation** ▲5 | **Post Office** ★ |
| | | **Disabled Toilet** ♿ |

## Scale

**1:19,000**
**3⅓ inches to 1 mile**

0 — ¼ — ½ — ¾ Mile
0 — 250 — 500 — 750 Metres — 1 Kilometre

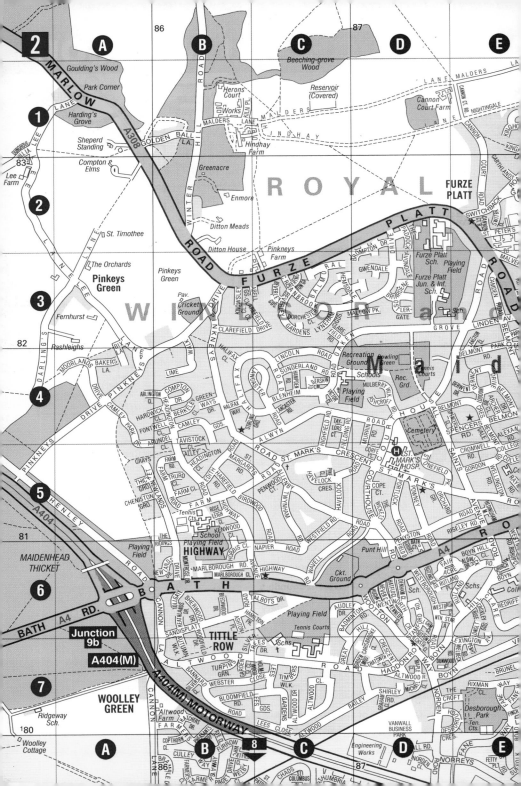

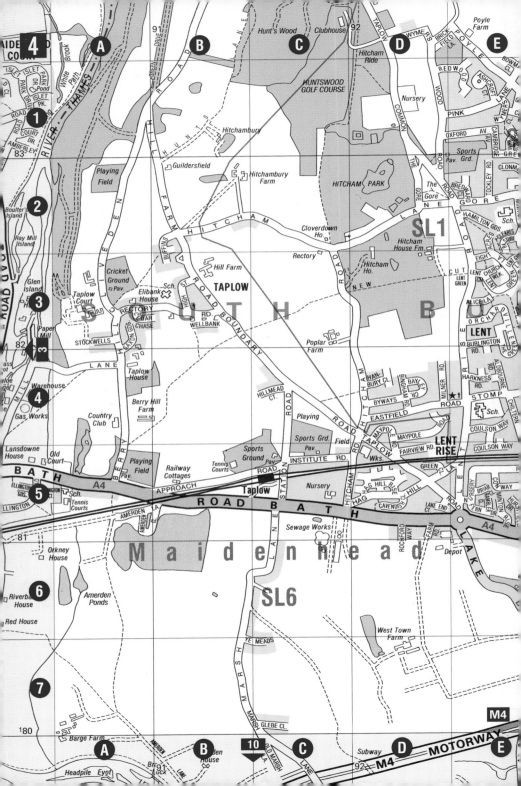

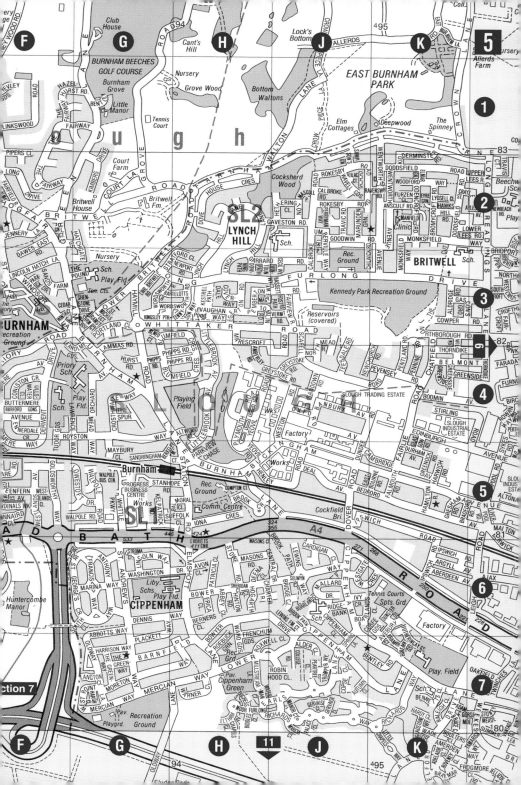

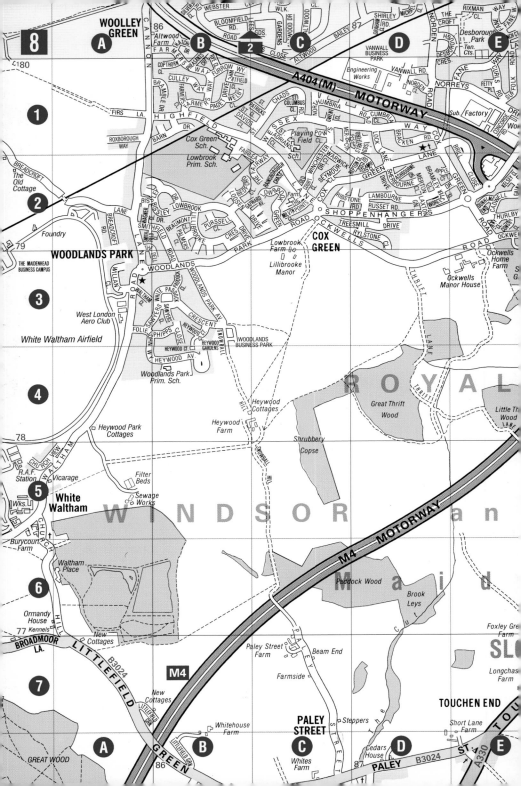

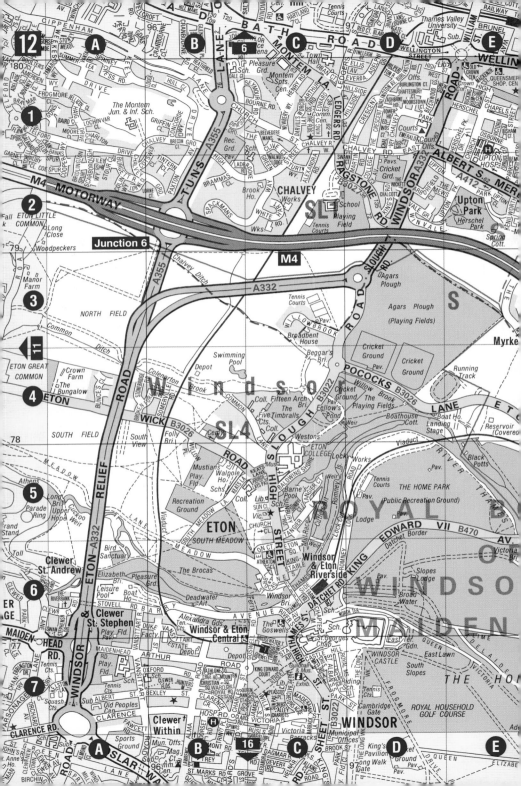

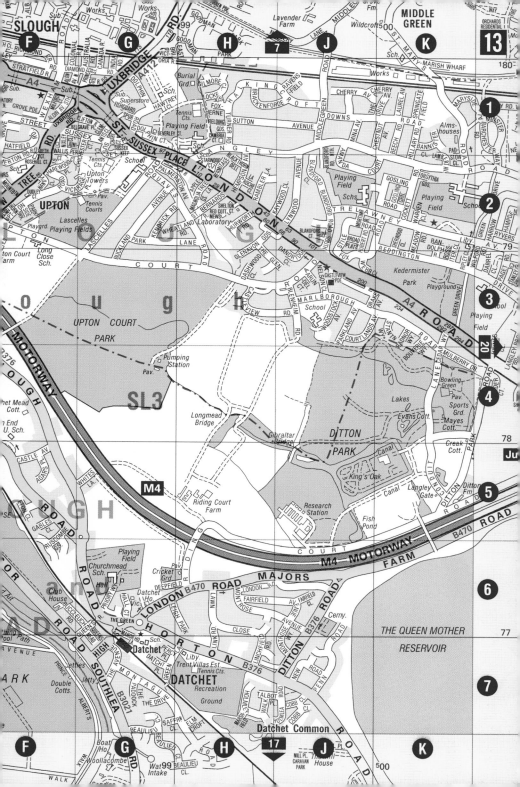

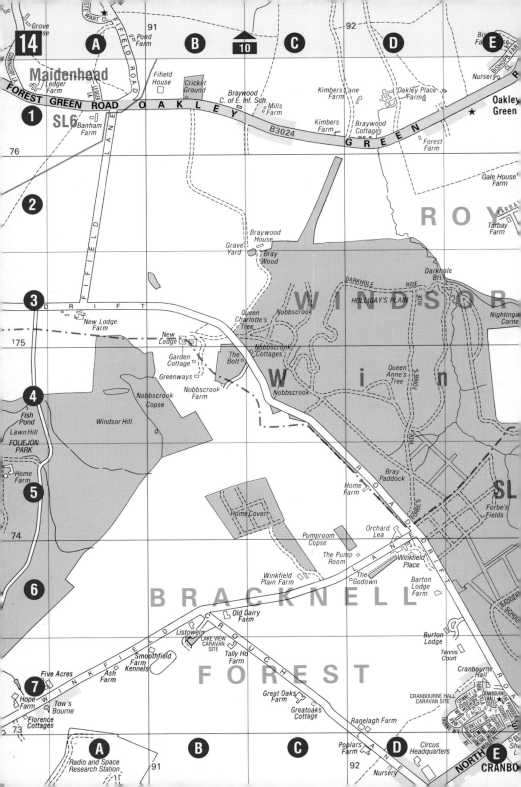

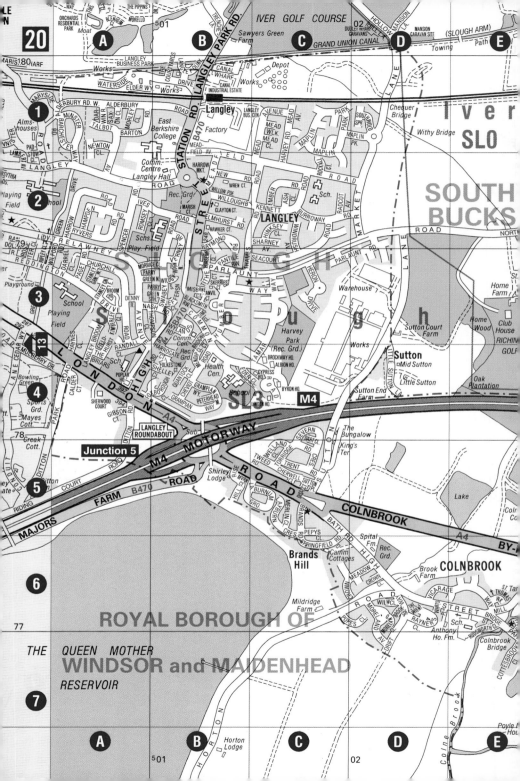

# INDEX TO STREETS

## OW TO USE THIS INDEX

Each street name is followed by its Posttown or Postal Locality, and then by its map reference; e.g. Abbotts Way. *Slou* —7G **5** is in the Slough Posttown and is found in square 7G on page **5**. The page number being shown in bold type.
A strict alphabetical order is followed in which Av., Rd., St. etc. (though abbreviated) are read in full and as part of the street name; e.g. Ash Clo. appears after Ashbrook Rd. but before Ashcroft Ct.

Streets and a selection of Subsidiary names not shown on the Maps, appear in this index in *Italics* with the thoroughfare to which it is connected shown in brackets; e.g. *Belgrave Pde. Slou* —6D **6** *(off Bradley Rd.)*

## ENERAL ABBREVIATIONS

| | | | |
|---|---|---|---|
| l : Alley | Clo : Close | Junct : Junction | Rd : Road |
| pp : Approach | Comn : Common | La : Lane | Shop : Shopping |
| rc : Arcade | Cotts : Cottages | Lit : Little | S : South |
| v : Avenue | Ct : Court | Lwr : Lower | Sq : Square |
| k : Back | Cres : Crescent | Mnr : Manor | Sta : Station |
| oulevd : Boulevard | Dri : Drive | Mans : Mansions | St : Street |
| ri : Bridge | E : East | Mkt : Market | Ter : Terrace |
| way : Broadway | Embkmt : Embankment | M : Mews | Trad : Trading |
| ldgs : Buildings | Est : Estate | Mt : Mount | Up : Upper |
| us : Business | Gdns : Gardens | N : North | Vs : Villas |
| vn : Caravan | Ga : Gate | Pal : Palace | Wlk : Walk |
| en : Centre | Gt : Great | Pde : Parade | W : West |
| hu : Church | Grn : Green | Pk : Park | Yd : Yard |
| hyd : Churchyard | Gro : Grove | Pas : Passage | |
| rc : Circle | Ho : House | Pl : Place | |
| ir : Circus | Ind : Industrial | Quad : Quadrant | |

## POSTTOWN AND POSTAL LOCALITY ABBREVIATIONS

| | | | |
|---|---|---|---|
| *ray* : Bray | *Eton* : Eton | *M'head* : Maidenhead | *Water O* : Water Oakley |
| *urn* : Burnham | *Eton C* : Eton College | *Mid* : Middlegreen | *Wex* : Wexham |
| *halv* : Chalvey | *Eton W* : Eton Wick | *Oak G* : Oakley Green | *White W* : White Waltham |
| *ipp* : Cippenham | *Farn R* : Farnham Royal | *Old Win* : Old Windsor | *Wind* : Windsor |
| *oln* : Colnbrook | *Fif* : Fifield | *Slou* : Slough | *Wind C* : Windsor Castle |
| *at* : Datchet | *G Grn* : George Green | *Stai* : Staines | *Wink* : Winkfield |
| *or* : Dorney | *Holyp* : Holyport | *Stoke P* : Stoke Poges | *Wray* : Wraysbury |
| *or R* : Dorney Reach | *Hort* : Horton | *Tap* : Taplow | |
| *gh* : Egham | *Iver* : Iver | *Thorpe* : Thorpe | |
| *ng* : Englefield | *Langl* : Langley | *Vir W* : Virginia Water | |

## INDEX TO STREETS

Abbey Clo. *Slou* —6H **5**
bbots Wlk. *Wind* —1H **15**
bbotts Way. *Slou* —7G **5**
bell Gdns. *M'head* —3C **2**
berdeen Av. *Slou* —6K **5**
bingdon Wlk. *M'head* —1F **3**
cacia Av. *Wray* —3K **17**
cacia Ho. *Slou* —7E **6**
cre Pas. *Slou* —7C **12**
dam Clo. *Slou* —7K **5**
ddington Clo. *Wind* —2K **15**
ddison Ct. *M'head* —3J **3**
delaide Clo. *Slou* —1K **11**
delaide Rd. *Wind* —7E **12**
delaide Sq. *Wind* —1C **16**
delphi Gdns. *Slou* —1D **12**
gars Pl. *Dat* —5F **13**
jax Av. *Slou* —6A **6**
lan Way. *G Grn* —5K **7**
lbany Pk. *Coln* —6E **20**
lbany Pl. *Egh* —3H **19**
lbany Rd. *Old Win* —4F **17**
lbany Rd. *Wind* —1C **16**
lbert Clo. *Slou* —2E **12**
lbert Pl. *Eton W* —4K **11**
lbert Rd. *Egh* —5D **18**
lbert Rd. *Old Win* —2C **16**
lbert St. *M'head* —6G **3**
　(in two parts)
lbert St. *Slou* —2E **12**
lbert St. *Wind* —7A **12**
lbion Clo. *Slou* —7F **7**
lbion Ho. *Langl* —4C **20**
ldborough Spur. *Slou* —5D **6**

Aldbourne Rd. *Burn* —4E **4**
Aldebury Rd. *M'head* —2F **3**
Alden View. *Wind* —7G **11**
Alderbury Rd. *Slou* —1A **20**
Alderbury Rd. W. *Slou* —1A **20**
Alder Clo. *Egh* —4E **18**
Alder Clo. *Slou* —7J **5**
Alderside Wlk. *Egh* —4E **18**
Aldin Av. N. *Slou* —1F **13**
Aldin Av. S. *Slou* —1F **13**
Aldridge Rd. *Slou* —3K **5**
Aldwick Dri. *M'head* —6E **2**
Aldwyn Ct. *Eng* —5B **18**
Alexander Rd. *Egh* —4J **19**
Alexandra Rd. *M'head* —4E **2**
Alexandra Rd. *Egh* —5C **18**
Alexandra Rd. *Slou* —2C **12**
Alexandra Rd. *Wind* —1C **16**
Alice La. *Burn* —3E **4**
Allenby Rd. *Slou* —5C **6**
Allerds Rd. *Farn R* —1J **5**
Allington Ct. *Slou* —5E **6**
Allkins Ct. *Wind* —1C **16**
All Saints Av. *M'head* —4D **2**
Alma Ct. *Burn* —2F **5**
Alma Rd. *Eton W* —3J **11**
Alma Rd. *Wind* —1B **16**
Almond Clo. *Egh* —5B **18**
Almond Clo. *Wind* —1A **16**
Almond Rd. *Burn* —1E **4**
Almond Ville. *Burn* —2F **5**
Almons Way. *Slou* —4G **7**
Alpha St. N. *Slou* —1F **13**
Alpha St. S. *Slou* —2E **12**

Alpha Way. *Egh* —7J **19**
Alston Gdns. *M'head* —5F **3**
Altona Way. *Slou* —5A **6**
Altwood Bailey. *M'head* —7C **2**
Altwood Clo. *Slou* —4H **5**
Altwood Clo. *M'head* —7C **2**
Altwood Dri. *M'head* —7C **2**
Altwood Rd. *M'head* —7B **2**
Alvista Av. *Tap* —5E **4**
Alwyn Rd. *M'head* —4C **2**
Alyson Ct. *M'head* —3G **3**
Amanda Ct. *Slou* —2J **13**
Amberley Ct. *M'head* —1K **3**
Amberley Rd. *Slou* —4H **5**
Ambleside Way. *Egh* —6H **19**
Amerden Clo. *Tap* —5A **4**
Amerden La. *Tap* —1B **10**
Amerden La. *Tap* —5A **4**
Amerden Way. *Slou* —1K **11**
Andermans. *Wind* —7G **11**
Anne Clo. *M'head* —2F **3**
Annie Brookes Clo. *Stai* —2K **19**
Ansculf Rd. *Slou* —2K **5**
Anslow Pl. *Slou* —4F **5**
Anthony Way. *Slou* —6G **5**
Anvil Ct. *Langl* —3B **20**
Apple Croft. *M'head* —2D **8**
Appletree La. *Slou* —2H **13**
Approach Rd. *Tap* —5B **4**
Arborfield Clo. *Slou* —2D **12**
Archer Clo. *M'head* —4E **2**
Arches, The. *Wind* —7B **12**
Ardrossan Clo. *Slou* —3B **6**
Argent Clo. *Egh* —5J **19**

Argyll Av. *Slou* —6K **5**
Arkley Ct. *M'head* —4K **3**
Arlington Clo. *M'head* —4A **2**
Armstrong Rd. *Egh* —5C **18**
Arndale Way. *Egh* —4G **19**
Arthur Rd. *Slou* —1C **12**
Arthur Rd. *Wind* —7B **12**
Arundel Clo. *M'head* —4B **2**
Arundel Ct. *Slou* —3J **13**
Ashbourne Gro. *M'head* —2D **8**
Ashbourne Ho. *Chalv* —1D **12**
Ashbrook Rd. *Old Win* —6G **17**
Ash Clo. *Slou* —2C **20**
Ashcroft Ct. *Burn* —1E **4**
Ashcroft Rd. *M'head* —4D **2**
Ashdown. *M'head* —1J **3**
Ashford La. *Dor* —1E **10**
Ash La. *Wind* —1G **15**
Ashleigh Av. *Egh* —6J **19**
Ashley Ct. *M'head* —5J **3**
Ashley Pk. *M'head* —2J **3**
Ashton Pl. *M'head* —6B **2**
Ashwood Rd. *Egh* —5B **18**
Aspen Clo. *Slou* —4A **6**
Aston Mead. *Wind* —6H **11**
Astor Clo. *M'head* —6J **3**
Atherton Ct. *Wind* —6C **12**
Athlone Clo. *M'head* —3F **3**
Athlone Sq. *Wind* —7B **12**
Atkinson's All. *M'head* —4G **3**
Auckland Clo. *M'head* —4J **3**
Audley Dri. *M'head* —6C **2**
August End. *G Grn* —5K **7**
Australia Av. *M'head* —4G **3**

Australia Rd. *Slou* —1G **13**
Autumn Clo. *Slou* —7J **5**
Autumn Wlk. *M'head* —7B **2**
Avebury. *Slou* —6K **5**
Avenue Rd. *M'head* —7J **3**
Avenue. *Stai* —4K **19**
Avenue, The. *M'head* —1K **3**
Avenue, The. *Dat* —7G **13**
Avenue, The. *Egh* —3H **19**
Avenue, The. *Old Win* —4G **17**
Avenue, The. *Wray* —3K **17**
Averil Ct. *Tap* —5F **5**
Avon Clo. *Slou* —6H **5**
Avondale. *M'head* —3D **2**
Ayebridges Av. *Egh* —6J **19**
Aylesbury Cres. *Slou* —5C **6**
Aylesworth Av. *Slou* —2A **6**
Aylesworth Spur. *Old Win*
—6G **17**
Aymer Clo. *Stai* —7K **19**
Aysgarth Pk. *M'head* —4J **9**
Azalea Way. *G Grn* —5K **7**

**B**achelors Acre. *Wind* —7C **12**
Bader Gdns. *Slou* —1K **11**
Badger Clo. *M'head* —1E **8**
Badgersbridge Ride. *Wind*
—6E **14**
Bad Goodesberg Way. *M'head*
—5G **3**
Badminton Rd. *M'head* —6C **2**
Bagshot Rd. *Egh* —6C **18**
Bailey Clo. *M'head* —5G **3**
Bailey Clo. *Wind* —1K **15**
Baird Clo. *Slou* —1A **12**
Bakeham La. *Egh* —6D **18**
Bakers La. *M'head* —4A **2**
Baldwin Rd. *Burn* —2F **5**
Baldwins Shore. *Eton* —5C **12**
Ballard Grn. *Wind* —6H **11**
Balmoral. *M'head* —3C **2**
Balmoral Clo. *Slou* —5H **5**
Balmoral Gdns. *Wind* —2C **16**
Banbury Av. *Slou* —4J **5**
Band La. *Egh* —4F **19**
Banks Spur. *Chalv* —1A **12**
Bannard Rd. *M'head* —7B **2**
Bannister Clo. *Slou* —1K **13**
Barchester Rd. *Slou* —1A **20**
Bardney Clo. *M'head* —2E **8**
Bargeman Rd. *M'head* —1F **9**
Barley Mow Rd. *Egh* —4C **18**
Barn Clo. *M'head* —2G **3**
Barn Dri. *M'head* —1B **8**
Barnfield. *Slou* —7G **5**
Barnway. *Egh* —4C **18**
Barons Way. *Egh* —5K **19**
Barrack La. *Wind* —7C **12**
Barrow Lodge. *Slou* —3B **6**
Barr's Rd. *Tap* —5E **4**
Barry Av. *Wind* —6B **12**
Bartelotts Rd. *Slou* —3G **5**
Bartletts La. *Holyp* —6G **9**
Barton Rd. *Slou* —1A **20**
Basford Way. *Wind* —2G **15**
Bassett Way. *Slou* —3J **5**
Batchelors Acre. *Wind* —7C **12**
Bates Clo. *G Grn* —5K **7**
Bath Ct. *M'head* —6D **2**
Bath Rd. *M'head* —6A **2**
Bath Rd. *Tap* —5K **3**
Bath Rd. *Coln* —5C **20**
Bath Rd. *Slou* —5E **4**
Battlemead Clo. *M'head* —1K **3**
Bayley Cres. *Burn* —4D **4**
Baylis Pde. *Slou* —5D **6**

Baylis Rd. *Slou* —6C **6**
Baytree Ct. *Burn* —2F **5**
Beaconsfield Rd. *Farn R* —1B **6**
Beaufort Pl. *Bray* —1A **10**
Beauforts. *Egh* —4C **18**
Beaulieu Clo. *Dat* —7G **13**
Beaumaris Ct. *Slou* —4A **6**
Beaumont Clo. *M'head* —2B **8**
Beaumont Rd. *Slou* —3C **6**
Beaumont Rd. *Wind* —1B **16**
Bedford Av. *Slou* —5J **5**
Bedford Clo. *M'head* —2B **8**
Beech Rd. *Slou* —1K **13**
Beechtree Av. *Egh* —5B **18**
Beechwood Dri. *M'head* —6B **2**
Beechwood Gdns. *Slou* —1D **12**
Beechwood Rd. *Slou* —4C **6**
Belfast Av. *Slou* —5B **6**
*Belgrave Pde. Slou —6D 6*
*(off Bradley Rd.)*
Belgrave Pl. *Slou* —1F **13**
Belgrave Rd. *Slou* —6D **6**
Bell Clo. *Slou* —4G **7**
Bell La. *Eton W* —3J **11**
Bell Pde. *Wind* —1J **15**
Bells Hill. *Stoke P* —1F **7**
Bell St. *M'head* —6G **3**
Bell View. *Wind* —2J **15**
Bell View Clo. *Wind* —1J **15**
Bellvue Pl. *Slou* —2E **12**
Bellweir Clo. *Stai* —1H **19**
Belmont. *Slou* —4K **5**
Belmont Cres. *M'head* —4D **2**
Belmont Dri. *M'head* —4E **2**
Belmont Pk. Av. *M'head* —3E **2**
Belmont Pk. Rd. *M'head* —4E **2**
Belmont Rd. *M'head* —4E **2**
Belmont Vale. *M'head* —4E·**2**
Belvedere Mans. *Chalv* —1C **12**
Bembridge Ct. *Slou* —2E **12**
*Benison Ct. Slou —2E 12*
*(off Hencroft St. S.)*
Bennetts Clo. *Slou* —7K **5**
Benning Clo. *Wind* —2G **15**
Benson Clo. *Slou* —7F **7**
Bentley Pk. *Burn* —1G **5**
Bentley Rd. *Slou* —7K **5**
Beresford Rd. *Slou* —6H **7**
Berkeley Clo. *M'head* —4B **2**
Berkeley Dri. *Wink* —7D **14**
Berkeley M. *Burn* —5G **5**
Berkley Clo. *Stai* —1H **19**
Berkshire Av. *Slou* —5A **6**
Berners Clo. *Slou* —6H **5**
Berryfield. *Slou* —6H **5**
Berry Hill. *Tap* —5A **4**
Berwick Av. *Slou* —5A **6**
Bestobell Rd. *Slou* —5B **6**
Beta Way. *Egh* —7J **19**
Bettoney Vere. *Bray* —1K **9**
Beverley Ct. *Slou* —1G **13**
Beverley Gdns. *M'head* —3C **2**
Bexley St. *Wind* —7B **12**
Biddles Clo. *Slou* —7H **5**
Bideford Spur. *Slou* —2A **6**
Bingham Rd. *Burn* —4D **4**
Binghams, The. *M'head* —2J **9**
Birch Gro. *Slou* —4A **6**
Birch Gro. *Wind* —7G **11**
Birchington Rd. *Wind* —1K **15**
Birdwood Rd. *M'head* —5B **2**
Birley Rd. *Slou* —5C **6**
Bisham Ct. *Slou* —1E **12**
Bishop Ct. *M'head* —6E **2**
Bishops Farm Clo. *Oak G* —1E **14**
Bishopsgate Rd. *Egh* —2A **18**
Bishops Orchard. *Farn R* —2A **6**

Bishops Rd. *Slou* —1F **13**
Bishops Way. *Egh* —5K **19**
Bissley Dri. *M'head* —2A **8**
Bix La. *M'head* —3A **2**
Blackamoor La. *M'head* —3H **3**
Blackbird La. *M'head* —7H **9**
Black Horse Clo. *Wind* —1G **15**
Black Lake Clo. *Egh* —7J **19**
Black Pk. Rd. *Wex* —1K **7**
Blackpond La. *Farn C* —1A **6**
Blacksmith Row. *Slou* —3B **20**
Blackthorn Dell. *Slou* —2H **13**
Blair Rd. *Slou* —7D **6**
Blakeney Ct. *M'head* —3G **3**
Blandford Clo. *Slou* —2J **13**
Blandford Ct. *Slou* —2J **13**
Blandford Rd. N. *Slou* —2J **13**
Blandford Rd. S. *Slou* —2J **13**
Blay's Clo. *Egh* —5C **18**
Blay's La. *Egh* —6B **18**
Blenheim Clo. *Slou* —1A **20**
Blenheim Rd. *M'head* —4C **2**
Blenheim Rd. *Slou* —3J **13**
Blinco La. *G Grn* —5K **7**
Blind La. *Holyp* —5H **9**
Bloomfield Rd. *M'head* —7B **2**
Blue Ball La. *Egh* —4F **19**
Blumfield Ct. *Slou* —3G **5**
Blumfield Cres. *Slou* —4G **5**
Boarlands Clo. *Slou* —4G **5**
Boarlands Path. *Cipp* —6J **5**
Bodmin Av. *Slou* —4K **5**
Boleyn Clo. *Slou* —4K **19**
Bolton Av. *Wind* —2C **16**
Bolton Cres. *Wind* —2B **16**
Bolton Rd. *Wind* —2B **16**
Bond St. *Egh* —4B **18**
Borderside. *Slou* —5F **7**
Borrowdale Clo. *Egh* —6G **19**
Boscombe Clo. *Egh* —7J **19**
Boston Gro. *Slou* —5B **6**
Boulters Clo. *M'head* —3K **3**
Boulters Clo. *Slou* —1K **11**
Boulters Ct. *M'head* —3K **3**
Boulters Gdns. *M'head* —3K **3**
Boulters La. *M'head* —3K **3**
Boundary Rd. *Tap* —3B **4**
Bourne Av. *Wind* —2B **16**
Bourne Rd. *Slou* —1C **12**
Bouverie Way. *Slou* —4K **13**
Boveney Clo. *Slou* —1K **11**
Boveney New Rd. *Eton W*
—3H **11**
Boveney Rd. *Dor* —4F **11**
Bower Way. *Slou* —6H **5**
Bowes-Lyon Clo. *Wind* —7B **12**
*(off Alma Rd.)*
Bowes Rd. *Stai* —4K **19**
Bowmans Clo. *Burn* —1E **4**
Bowyer Dri. *Slou* —7H **5**
Boyndon Rd. *M'head* —5E **2**
Boyn Hill Av. *M'head* —6E **2**
Boyn Hill Clo. *M'head* —6E **2**
Boyn Hill Rd. *M'head* —7E **2**
Boyn Valley Ind. Est. *M'head*
—6F **3**
Boyn Valley Rd. *M'head* —7D **2**
Brackenforde. *Slou* —1H **13**
Bracken Rd. *M'head* —1D **8**
Bradford Rd. *Slou* —5K **5**
Bradley Rd. *Slou* —6C **6**
Bradshaw Clo. *Wind* —7H **11**
Braemar Gdns. *Slou* —1K **11**
Bramber Ct. *Slou* —7K **5**
Bramble Dri. *M'head* —1B **8**
Bramley Clo. *M'head* —2D **8**
Brammas Clo. *Slou* —2B **12**

Brampton Ct. *M'head* —4J **3**
Brands Rd. *Slou* —5C **20**
Braybank. *Bray* —1K **9**
Bray Clo. *Bray* —2K **9**
Bray Ct. *M'head* —3K **3**
Brayfield Rd. *Bray* —1K **9**
Bray Rd. *M'head* —6J **3**
Braywick Rd. *M'head* —6G **3**
Braywood Av. *Egh* —5F **19**
Breadcroft Rd. *M'head* —2A **8**
Brecon Ct. *Chalv* —1B **12**
Bredward Clo. *Burn* —2E **4**
Briar Clo. *Tap* —5E **4**
Briardene. *M'head* —3D **2**
Briars, The. *Slou* —4A **20**
Briar Way. *Slou* —4A **6**
Brickfield La. *Burn* —1D **4**
Bridge Av. *M'head* —5H **3**
Bridge Clo. *Slou* —6J **5**
Bridge Clo. *Stai* —3K **19**
Bridgeman Dri. *Wind* —1K **15**
Bridge Rd. *M'head* —5H **3**
Bridge St. *M'head* —5H **3**
Bridge St. *Coln* —6E **20**
Bridgewater Ct. *Slou* —3B **20**
Bridgewater Ter. *Wind* —7C **12**
Bridgewater Way. *Wind* —7C **12**
Bridle Clo. *M'head* —3F **3**
Bridle Rd. *M'head* —3F **3**
Bridlington Spur. *Slou* —2A **12**
Bridport Way. *Slou* —3A **6**
Brighton Spur. *Slou* —3A **6**
Brill Clo. *M'head* —1E **8**
Bristol Way. *Slou* —7E **6**
Britwell Rd. *Burn* —2F **5**
Broadmark Rd. *Slou* —6G **7**
Broadmoor La. *Wal L* —7A **8**
Broad Oak. *Slou* —3B **6**
Broadoak Ct. *Slou* —3B **6**
Broad Platts. *Slou* —2J **13**
Broadwater Clo. *Wray* —6K **17**
Broadwater Pk. *M'head* —4B **10**
Broadway. *M'head* —5G **3**
Broadway. *Wink* —7E **14**
Brocas St. *Eton* —6C **12**
Brock La. *M'head* —5G **3**
Brockway Ho. *Langl* —4C **20**
Broken Furlong. *Eton* —4A **12**
Brompton Dri. *M'head* —3D **2**
Bromycroft Rd. *Slou* —2K **5**
Brook Cres. *Slou* —5H **5**
Brookdene Clo. *M'head* —2G **3**
Brook Path. *Slou* —6J **5**
*(in two parts)*
Brookside. *Coln* —6D **20**
Brookside Av. *Wray* —2K **19**
Brook St. *Wind* —1C **16**
Broom Ho. *Langl* —3A **20**
Brownfield Gdns. *M'head* —7F **3**
Bruce Clo. *Slou* —7K **5**
Bruce Wlk. *Wind* —1G **15**
Brudenell. *Wind* —2J **15**
Brunel Clo. *M'head* —7F **3**
Brunel Rd. *M'head* —7E **2**
Brunel Way. *Slou* —7E **6**
Bryant Av. *Slou* —4C **6**
Bryer Pl. *Wind* —2G **15**
Buccleuch Rd. *Dat* —6F **13**
Buckingham Av. *Slou* —5H **5**
Buckingham Av. E. *Slou* —5B **6**
Buckingham Gdns. *Slou* —1E **12**
Buckland Av. *Slou* —3G **13**
Buckland Cres. *Wind* —7J **15**
Bucklebury Clo. *Holyp* —4K **9**
Buffins. *Tap* —3B **4**
Bulkeley Av. *Wind* —2A **16**
Bulkeley Clo. *Egh* —4C **18**

unce's Clo. *Eton W* —4A **12**
unten Meade. *Slou* —7A **6**
urcot Gdns. *M'head* —1F **3**
urfield Rd. *Old Win* —5F **17**
urford Gdns. *Slou* —4F **5**
urgett Rd. *Slou* —2A **12**
urlington Av. *Slou* —1D **12**
urlington Ct. *Slou* —1D **12**
urlington Rd. *Burn* —3E **4**
urlington Rd. *Slou* —1D **12**
urnetts Rd. *Wind* —7H **11**
urnham Clo. *Wind* —1G **15**
urnham La. *Slou* —4G **5**
urn Wlk. *Burn* —2E **4**
urroway Rd. *Slou* —2C **20**
urton Way. *Slou* —2H **15**
usiness Village, The. *Slou*
—7G **7**
utlers Clo. *Wind* —7G **11**
uttermere Av. *Slou* —4F **5**
uttermere Way. *Egh* —6H **19**
yland Dri. *M'head* —4J **9**
yron Ct. *Wind* —2K **15**
yron Ho. *Langl* —4C **20**
yways. *Burn* —4D **4**

addy Clo. *Egh* —5G **19**
adogan Clo. *Holyp* —5H **9**
adwell Dri. *M'head* —2E **8**
airngorm Pl. *Slou* —3C **6**
albroke Rd. *Slou* —3J **5**
albrooke Rd. *Slou* —2J **5**
alder Clo. *M'head* —3F **3**
alder Ct. *M'head* —3E **2**
alder Ct. *Langl* —4A **20**
allow Hill. *Vir W* —7C **18**
ambria Ct. *Slou* —3K **19**
ambria Ct. *Stai* —3K **19**
ambridge Av. *Burn* —1E **4**
ambridge Av. *Slou* —5K **5**
ambridge Ho. *Wind* —7B **12**
amden Rd. *M'head* —3E **2**
amley Gdns. *M'head* —4B **2**
amley Pk. Dri. *M'head* —4A **2**
amm Av. *Wind* —2H **15**
amperdown. *M'head* —3J **3**
anada Rd. *Slou* —1G **13**
anal Ind. Est. *Langl* —1B **20**
anal Wharf. *Langl* —1B **20**
annock Clo. *M'head* —6J **3**
annon Ct. Rd. *M'head* —1E **2**
(in two parts)
annon Hill Clo. *M'head* —3K **9**
annon La. *M'head* —6B **2**
anon Hill Dri. *M'head* —2H **9**
anon Hill Est. *M'head* —2J **9**
anon Hill Way. *M'head* —3J **9**
anterbury Av. *Slou* —3B **6**
ardigan Clo. *Slou* —6J **5**
ardinals Wlk. *Tap* —5F **5**
arey Clo. *Slou* —2A **16**
arisbrooke Clo. *M'head* —7D **2**
arisbrooke Ct. *Slou* —6E **6**
arlisle Rd. *Slou* —6C **6**
arlton Rd. *Slou* —6G **7**
armarthen Rd. *Slou* —6D **6**
arrington Rd. *Slou* —6D **6**
arter Clo. *Wind* —1K **15**
astle Av. *Dat* —5F **13**
astle Clo. *Slou* —5E **2**
astle Dri. *M'head* —5E **2**
astle Farm Cvn. Site. *Wind*
(off White Horse Rd.) —1G **15**
astle Hill. *M'head* —5F **3**
astle Hill. *Wind* —7C **12**
astle Hill Rd. *Egh* —2B **18**

Castle Hill Ter. *M'head* —5F **3**
Castle M. *M'head* —5F **3**
Castle St. *Slou* —2E **12**
Castleview Pde. *Slou* —3J **13**
Castleview Rd. *Slou* —3H **13**
Causeway Est. *Stai* —3H **19**
Causeway, The. *Bray* —1J **9**
(in two parts)
Causeway, The. *Stai* —3K **19**
Cavalry Cres. *Wind* —2B **16**
Cavendish Clo. *Tap* —5D **4**
Cawcott Dri. *Wind* —7H **11**
Cecil Way. *Slou* —3J **5**
Cedar Chase. *Tap* —3A **4**
Cedar Clo. *Burn* —3G **5**
Cedar Ct. *Egh* —3G **19**
Cedar Ct. *Wind* —1K **15**
Cedars Rd. *M'head* —5H **3**
Cedar Way. *Slou* —4K **13**
Cell Farm Av. *Old Win* —4G **17**
Central Dri. *Slou* —6J **5**
Central La. *Wink* —7E **14**
Central Way. *Wink* —7E **14**
Centre Rd. *Wind* —6F **11**
Century Rd. *Stai* —4J **19**
Chalcott. *Chalv* —2D **12**
Chalgrove Rd. *M'head* —6J **3**
Challow Ct. *M'head* —3E **2**
Chalvey Gdns. *Slou* —1D **12**
Chalvey Gro. *Slou* —2A **12**
Chalvey Pk. *Slou* —1D **12**
Chalvey Rd. E. *Slou* —1D **12**
Chalvey Rd. W. *Slou* —1C **12**
*Chandos Mall. Chalv* —1E **12**
(off Wellington St.)
Chandos Rd. *Stai* —4K **19**
Chantry Clo. *Wind* —7K **11**
Chapels Clo. *Slou* —7H **5**
Chapel St. *Slou* —1E **12**
Chapter M. *Wind* —6C **12**
Chariots Pl. *Wind* —7C **12**
Charles Gdns. *Slou* —5G **7**
Charles Ho. *Wind* —7B **12**
Charles St. *Wind* —7B **12**
Charlton Clo. *Slou* —1A **12**
Charlton Pl. *Wind* —1F **15**
Charlton Row. *Wind* —1F **15**
*Charlton Sq. Wind* —1F **15**
(off Guards Rd.)
Charlton Wlk. *Wind* —1F **15**
Charlton Way. *Wind* —1F **15**
Charta Rd. *Egh* —4J **19**
Charter Clo. *Slou* —2E **12**
Charter Rd. *Slou* —6H **5**
Chatfield. *Slou* —4K **5**
Chatsworth Clo. *M'head* —7D **2**
Chauntry Clo. *M'head* —6K **3**
Chauntry Rd. *M'head* —6J **3**
Cheniston Gro. *M'head* —5A **2**
Cherington Ga. *M'head* —3C **2**
Cherries, The. *Slou* —5G **7**
Cherry Av. *Slou* —1J **13**
Cherrywood Av. *Egh* —6B **18**
Chertsey La. *Stai* —4K **19**
Cherwell Clo. *M'head* —4H **3**
Cherwell Clo. *Slou* —5C **20**
Cheshire Ct. *Slou* —1G **13**
Chester Rd. *Slou* —5C **6**
Chestnut Av. *Slou* —1K **13**
Chestnut Clo. *M'head* —3J **3**
Chestnut Clo. *Egh* —5B **18**
Chestnut Dri. *Egh* —5D **18**
Chestnut Dri. *Wind* —3H **15**
Cheviot Clo. *M'head* —6J **3**
Cheviot Rd. *Slou* —4B **20**
Chevley Gdns. *Burn* —1F **5**
Chichester Ct. *Slou* —2G **13**

Chiltern Rd. *M'head* —6J **3**
Chiltern Rd. *Burn* —4E **4**
Chilton Ct. *Tap* —5F **5**
Chilwick Rd. *Slou* —3J **5**
Christian Sq. *Wind* —7B **12**
Church Clo. *M'head* —6E **2**
Church Clo. *Eton* —5C **12**
Church Dri. *Bray* —1K **9**
Churchfield M. *Slou* —5F **7**
Church Gro. *Wex* —4H **7**
Church Hill. *White W* —5A **8**
Churchill Rd. *Slou* —3A **20**
Church Island. *Stai* —3K **19**
Church La. *Bray* —1K **9**
Church La. *Stoke P* —3E **6**
Church La. *Wex* —3G **7**
Church La. *Wind* —7C **12**
Church Path. *Bray* —1K **9**
Church Rd. *M'head* —7J **3**
Church Rd. *Egh* —4F **19**
Church Rd. *Farn R* —2B **6**
Church Rd. *Old Win* —4F **17**
Church St. *Burn* —3F **5**
Church St. *Chalv* —1E **12**
Church St. *Slou* —1E **12**
Church St. *Stai* —3K **19**
Church St. *Wind* —7C **12**
Church Ter. *Wind* —1H **15**
Church View. *White W* —5A **8**
Church Views. *M'head* —4G **3**
Church Wlk. *Burn* —3E **4**
Cippenham Clo. *Slou* —6J **5**
Cippenham La. *Slou* —6J **5**
Clandon Av. *Egh* —6J **19**
Clappers Meadow. *M'head* —3J **3**
Clarefield Clo. *M'head* —3B **2**
Clarefield Dri. *M'head* —3B **2**
Clarefield Rd. *M'head* —3C **2**
Clare Gdns. *Egh* —4G **19**
Claremont Rd. *Stai* —4K **19**
Claremont Rd. *Wind* —1B **16**
Clarence Cres. *Wind* —7B **12**
Clarence Dri. *Egh* —3C **18**
Clarence Rd. *Wind* —7K **11**
Clarence St. *Egh* —5F **19**
Clarendon Ct. *Slou* —6G **7**
Clare Rd. *M'head* —6E **2**
Clare Rd. *Tap* —5F **5**
Clayhall La. *Old Win* —4E **16**
Clayton Ct. *Langl* —2B **20**
Cleares Pasture. *Burn* —2E **4**
Clemants Clo. *Slou* —1G **13**
Cleveland Clo. *M'head* —6J **3**
Cleves Ct. *Wind* —2J **15**
Clewer Av. *Wind* —1K **15**
Clewer Ct. Rd. *Wind* —6A **12**
Clewer Fields. *Wind* —7B **12**
Clewer Hill Rd. *Wind* —1H **15**
Clewer New Town. *Wind* —1K **15**
Clewer Pk. *Wind* —6K **11**
Clifton Clo. *M'head* —1H **9**
Clifton Rise. *Wind* —7G **11**
Clifton Rd. *Slou* —1G **13**
Clive Ct. *Slou* —1C **12**
Cliveden Mead. *M'head* —2J **3**
Cliveden Rd. *Tap* —3A **4**
Clivemont Rd. *M'head* —3G **3**
Clockhouse La. *M'head* —4H **3**
Clockhouse La. W. *Egh* —6G **19**
Clockouse La. E. *Egh* —6H **19**
Clonmel Way. *Burn* —2E **4**
Close, The. *Slou* —6G **5**
Cobb Clo. *Dat* —7J **13**
Cobblers Clo. *Farn R* —1A **6**
Cockett Rd. *Slou* —2K **13**
Coe Spur. *Slou* —2A **12**
Coftards. *Slou* —5H **7**

Colenorton Cres. *Eton W* —3H **11**
Colin Way. *Slou* —2A **12**
College Av. *M'head* —5F **3**
College Av. *Egh* —5H **19**
College Av. *Slou* —2D **12**
College Cres. *Wind* —1A **16**
College Glen. *M'head* —5E **2**
College Rise. *M'head* —5E **2**
College Rd. *M'head* —4E **2**
College Rd. *Cipp* —7J **5**
Collier Clo. *M'head* —3G **3**
Colnbrook By-Pass. *Coln &*
*W Dray* —5D **20**
Coln Clo. *M'head* —4G **3**
Colne Way. *Stai* —1H **19**
Colonial Rd. *Slou* —1F **13**
Combermere Clo. *Wind* —1A **16**
Common La. *Eton C* —4B **12**
Common Rd. *Dor* —3F **11**
Common Rd. *Eton W* —3J **11**
Common Rd. *Slou* —3B **20**
Compton Ct. *Burn* —5H **5**
Compton Dri. *M'head* —4B **2**
Concorde Rd. *M'head* —1E **8**
Concorde Way. *Slou* —1B **12**
Conduit La. *Dat* —5K **13**
Conegar Ct. *Slou* —7D **6**
Conifer La. *Egh* —4J **19**
Conifer Wlk. *Wind* —6F **11**
Coningsby Clo. *M'head* —2E **8**
Coningsby La. *Fif* —7K **9**
Coniston Cres. *Burn* —4F **5**
Coniston Way. *Egh* —6H **19**
Connaught Clo. *M'head* —3F **3**
Connaught Rd. *Slou* —1G **13**
Convent Rd. *Wind* —1K **15**
Conway Rd. *Tap* —5E **4**
Cookham Rd. *M'head* —2F **3**
Coombe Hill Ct. *Wind* —3G **15**
Coopers Hill La. *Egh* —2C **18**
(in three parts)
Cooper Way. *Slou* —2A **12**
Cope Ct. *SL6* —5D **2**
Copper Beech Clo. *Wind* —7G **11**
Coppice Dri. *Wray* —6J **17**
Copse Clo. *Slou* —7J **5**
Copthorn Clo. *M'head* —1B **8**
Corby Clo. *Egh* —5C **18**
Corby Dri. *Egh* —5C **18**
Cordwallis Pk. *M'head* —4F **3**
Cordwallis Rd. *M'head* —4F **3**
Cordwallis St. *M'head* —4F **3**
Corfe Gdns. *Slou* —6K **5**
Corfe Pl. *M'head* —5D **2**
Cornwall Av. *Slou* —3B **6**
Cornwall Clo. *M'head* —2F **3**
Cornwall Clo. *Eton W* —4H **11**
Cornwall Way. *Stai* —5K **19**
Cornwell Rd. *Old Win* —5F **17**
Coronation Av. *G Grn* —4K **7**
Coronation Av. *Wind* —1F **15**
Cotswold Clo. *M'head* —6J **3**
Cotswold Clo. *Slou* —2B **12**
Cottesbrooke Clo. *Coln* —7E **20**
Coulson Way. *Burn* —4E **4**
Court Clo. *M'head* —3K **9**
Court Cres. *Slou* —5C **6**
Court Dri. *M'head* —1K **3**
Courtfield Dri. *M'head* —6D **2**
Courthouse Rd. *M'head* —5D **2**
Courtlands. *M'head* —6G **3**
Courtlands Av. *Slou* —3J **13**
Court La. *Burn* —2G **5**
Court La. *Dor* —2E **10**
Court Rd. *M'head* —2K **3**
Courtyards, The. *Langl* —1B **20**
Coverdale Way. *Slou* —3H **5**

Cowper Rd. *Slou* —3K **5**
Cox Grn. La. *M'head* —2C **8**
Cox Grn. Rd. *M'head* —1D **8**
Crabtree Office Village. *Egh*
—7J **19**
Crabtree Rd. *Egh* —7J **19**
Cranbourne Av. *Wind* —1J **15**
Cranbourne Clo. *Slou* —7B **6**
Cranbourne Hall Cvn. Site. *Wink*
—7D **14**
Cranbourne Hall Cotts. *Wink*
—7E **14**
Cranbourne Rd. *Slou* —7B **6**
Cranbrook Dri. *M'head* —3C **2**
Craufurd Ct. *M'head* —4F **3**
Craufurd Rise. *M'head* —4F **3**
Crayle St. *Slou* —2K **5**
Creden Clo. *M'head* —4E **2**
Crescent Dri. *M'head* —5F **3**
Crescent, The. *M'head* —5F **3**
Crescent, The. *Egh* —5E **18**
Crescent, The. *Slou* —1D **12**
Cress Rd. *Slou* —1A **12**
Cresswells Mead. *M'head* —4J **9**
Crimp Hill. *Old Win & Egh*
—6E **16**
Crofters. *Old Win* —5F **17**
Crofthill Rd. *Slou* —3A **6**
Croft, The. *M'head* —7D **2**
Cromwell Dri. *Slou* —5D **6**
Cromwell Rd. *M'head* —5E **2**
Cross Oak. *Wind* —1K **15**
Crossways. *Egh* —5K **19**
Crosthwaite Way. *Slou* —4G **5**
Crouch La. *Wink* —6B **14**
Crown Clo. *Coln* —6D **20**
Crown La. *M'head* —5H **3**
Crown La. *Farn R* —2K **5**
Crown Meadow. *Coln* —6C **20**
Crown St. *Egh* —4G **19**
Crow Piece La. *Slou* —1J **5**
Croxley Rise. *M'head* —6E **2**
Crummock Clo. *Slou* —5F **5**
Culham Dri. *M'head* —2F **3**
Cullerns Pas. *M'head* —6G **3**
Culley Way. *M'head* —1B **8**
Cumberland Av. *Slou* —3B **6**
Cumberland St. *Stai* —4K **19**
Cumbrae Clo. *Slou* —7F **7**
Cumbria Clo. *M'head* —1D **8**
Curls La. *M'head* —1F **9**
Curls Rd. *M'head* —1E **8**
Curzon Mall. *Slou* —1E **12**
 (off Wellington St.)
Cut, The. *Slou* —3K **5**
Cypress Ho. *Langl* —4C **20**
Cypress Wlk. *Egh* —5B **18**

**D**agmar Rd. *Wind* —1C **16**
Dairy Ct. *Holyp* —6H **9**
Dale Ct. *Chalv* —1B **12**
Daleham Av. *Egh* —5G **19**
Damson Gro. *Slou* —1B **12**
Dandridge Clo. *Slou* —3J **13**
Darkhole Ride. *Wind* —3D **14**
Darling's La. *M'head* —4A **2**
Darrel Clo. *Langl* —3A **20**
Dart Clo. *Slou* —5C **20**
Darvill's La. *Slou* —1C **12**
Darwin Rd. *Slou* —1A **20**
Dashwood Clo. *Slou* —3H **13**
Datchet Pl. *Dat* —7G **13**
Datchet Rd. *Hort* —3H **13**
Datchet Rd. *Old Win* —3F **17**
Datchet Rd. *Slou* —3E **12**
Datchet Rd. *Wind* —6C **12**

Dawes E. Rd. *Burn* —3F **5**
Dawes Moor Clo. *Slou* —5H **7**
Dawson Clo. *Wind* —1K **15**
Deal Av. *Slou* —5J **5**
Dean Clo. *Wind* —2G **15**
Deans Clo. *Stoke P* —1G **7**
Dedworth Dri. *Wind* —7J **11**
Dedworth Rd. *Wind* —1F **15**
Deena Clo. *Slou* —6H **5**
Deepfield. *Dat* —6G **13**
Deerswood. *M'head* —3H **3**
Dell, The. *M'head* —2A **8**
Delta Way. *Egh* —7J **19**
Denham Clo. *M'head* —6D **2**
Denham Rd. *Egh* —3G **19**
Denmark St. *M'head* —4F **3**
Dennis Way. *Slou* —6G **5**
Denny Rd. *Slou* —3A **20**
Depot Rd. *M'head* —6G **3**
Derek Rd. *M'head* —4K **3**
De Ros Pl. *Egh* —5G **19**
Derwent Dri. *M'head* —4E **2**
Derwent Dri. *Slou* —4F **5**
Derwent Rd. *Egh* —6G **19**
Desborough Cres. *M'head* —7D **2**
Devereux Rd. *Wind* —1C **16**
Devil's La. *Egh & Stai* —5J **19**
Devon Av. *Slou* —5B **6**
Devonshire Clo. *Farn R* —1A **6**
Devonshire Grn. *Farn R* —1A **6**
Dhoon Rise. *M'head* —6G **3**
Diamond Rd. *Slou* —1F **13**
Diana Clo. *G Grn* —5K **7**
Disraeli Ct. *Coln* —5C **20**
Ditton Pk. Rd. *Slou* —5K **13**
Ditton Rd. *Dat* —7J **13**
Ditton Rd. *Langl* —4A **20**
Doddsfield Rd. *Slou* —2K **5**
Dolphin Clo. *Slou* —1G **13**
Dolphin Rd. *Slou* —1G **13**
Donnington Gdns. *M'head* —3G **3**
Dorchester Clo. *M'head* —3C **2**
Dornels. *Slou* —5H **7**
Dorney Reach Rd. *Dor R* —2C **10**
Dorney Wood Rd. *Burn* —1F **5**
Dorset Rd. *Wind* —7B **12**
Douglas La. *Wray* —4K **17**
Douglas Rd. *Slou* —4C **6**
Dove Ho. Cres. *Slou* —2H **5**
Dover Rd. *Slou* —5J **5**
Dower Pk. *Wind* —3H **15**
Downing Path. *Slou* —3H **5**
Down Pl. *Water O* —5D **10**
Downs Rd. *Slou* —1J **13**
Drake Av. *Slou* —3J **13**
Drift Rd. *M'head & Wink* —3A **14**
Drift Rd. *Wink* —6D **14**
Drift Way. *Coln* —7D **20**
Drive, The. *Dat* —7G **13**
Drive, The. *Slou* —1K **13**
Drive, The. *Wray* —4J **17**
Dropmore Rd. *Burn* —1F **5**
Duchess St. *Slou* —7H **7**
Dudley Ct. *Slou* —2F **13**
Dudley Wharf Caravans. *Iver*
—1D **20**
Duffield Pk. *Stoke P* —2F **7**
Dugdale Ho. *Egh* —4J **19**
 (off Pooley Grn. Rd.)
Duke St. *Wind* —6B **12**
Dunbar Clo. *Slou* —5F **7**
Duncannon Cres. *Wind* —2G **15**
Duncroft. *Stai* —3K **19**
Duncroft. *Wind* —2J **15**
Dundee Rd. *Slou* —5J **5**
Dungrove Hill La. *M'head* —1A **2**
Dunholme End. *M'head* —2E **8**

Dunster Gdns. *Slou* —6K **5**
Dunwood Ct. *M'head* —7D **2**
Durham Av. *Slou* —5K **5**
Dutch Elm Av. *Wind* —6E **12**
Dyson Clo. *Wind* —2A **16**

**E**arlsfield. *Holyp* —3K **9**
Earls La. *Slou* —7J **5**
Eastbourne Rd. *Slou* —5J **5**
East Bri. *Slou* —7H **7**
E. Burnham La. *Farn R* —1K **5**
East Cres. *Wind* —7J **11**
Eastcroft. *Slou* —3A **6**
East Dri. *Stoke P* —2D **6**
Eastfield Clo. *Slou* —2F **13**
Eastfield Rd. *Burn* —4D **4**
East Rd. *M'head* —5F **3**
Ebsworth Clo. *M'head* —1K **3**
Eden Clo. *Slou* —4B **20**
Edinburgh Av. *Slou* —4K **5**
Edinburgh Gdns. *Wind* —1C **16**
Edinburgh Rd. *M'head* —3F **3**
Edith Rd. *M'head* —5B **2**
Edmunds Way. *Slou* —4G **7**
Edwards Ct. *Slou* —1D **12**
Egerton Rd. *Slou* —3H **5**
Egham Bus. Village. *Egh* —7J **19**
Egham By-Pass. *Egh* —4F **19**
Egham Hill. *Egh* —5D **18**
Egremont Gdns. *Slou* —7K **5**
Eight Acres. *Burn* —3E **4**
Elder Way. *Langl* —1A **20**
Elizabeth Ct. *Slou* —1F **13**
Elizabeth Way. *Stoke P* —1E **6**
Elliman Av. *Slou* —6D **6**
Elliman Sq. *Slou* —1E **12**
 (off High St. Slough,)
Ellington Ct. *Tap* —5K **3**
Ellington Gdns. *Tap* —5K **3**
Ellington Pk. *M'head* —3F **3**
Ellington Rd. *Tap* —5K **3**
Ellis Av. *Slou* —1D **12**
Ellison Clo. *Wind* —2J **15**
Elmar Grn. *Slou* —2K **5**
Embank Av. *Egh* —5B **18**
Elm Croft. *Dat* —7H **13**
Elm Dri. *Wink* —7D **14**
Elm Gro. *M'head* —5F **3**
Elmhurst Rd. *Slou* —2B **20**
Elm Rd. *Wind* —2A **16**
Elmshott La. *Slou* —6H **5**
Elmwood. *M'head* —1J **3**
Elmwood Rd. *Slou* —6G **7**
Elm Av. *Slou* —7H **5**
Eltham Av. *Slou* —7H **5**
Elton Dri. *M'head* —4E **2**
Elwell Clo. *Egh* —5G **19**
Ely Av. *Slou* —4B **6**
Embankment, The. *Wray* —7H **17**
Ember Rd. *Slou* —2C **20**
Emerald Ct. *Slou* —1D **12**
Englefield Clo. *Egh* —5C **18**
Englehurst. *Egh* —5C **18**
English Gdns. *Wray* —4J **17**
Ennerdale Cres. *Slou* —4F **5**
Erica Clo. *Slou* —6H **5**
Errington Dri. *Wind* —7K **11**
Eschle Ct. *Slou* —5D **6**
Eskdale Gdns. *M'head* —3J **9**
Essex Av. *Slou* —4B **6**
Eton Clo. *Dat* —5F **13**
Eton Ct. *Slou* —1D **12**
Eton Rd. *Dat* —4E **12**
Eton Sq. *Eton* —6C **12**
Eton Wick Rd. *Eton W* —3H **11**
Evenlode. *M'head* —4G **3**
Everard Av. *Slou* —1D **12**

Evergreen Oak Av. *Wind* —2F **1?**
Everitts Corner. *Slou* —6H **5**
Eversley Way. *Egh* —7J **19**
Everson End. *Farn R* —1A **6**
Eyre Grn. *Slou* —2K **5**

**F**air Acre. *M'head* —6D **2**
Fairacres Ind. Est. *Wind* —1G **15**
Faircroft. *Slou* —3A **6**
Fairfield App. *Wray* —5J **17**
Fairfield Av. *Dat* —6H **13**
Fairfield Clo. *Dat* —6J **13**
Fairfield La. *Farn R* —1A **6**
Fairfield Rd. *Burn* —2F **5**
Fairfield Rd. *Wray* —5J **17**
Fairford Rd. *M'head* —4G **3**
Fairhaven. *Egh* —4F **19**
Fairhaven Ct. *Egh* —4F **19**
Fairlawn Pk. *Wind* —3H **15**
Fairlea. *M'head* —1B **8**
Fairlie Rd. *Slou* —5K **5**
Fairlight Av. *Wind* —1C **16**
Fairview Rd. *Tap* —5D **4**
Fairview Rd. *Slou* —3J **5**
Fairway, The. *M'head* —2C **8**
Fairway, The. *Burn* —1F **5**
Falaise. *Egh* —4E **18**
Falconwood. *Egh* —4E **18**
Falmouth Rd. *Slou* —6H **5**
Fane Way. *M'head* —1E **8**
Faraday Clo. *Slou* —4A **6**
Faraday Rd. *Slou* —4A **6**
Farm Clo. *M'head* —5B **2**
Farm Clo. *Stai* —4K **19**
Farm Cres. *Slou* —4G **7**
Farm Dri. *Old Win* —5G **17**
Farmers Clo. *M'head* —1B **8**
Farmers Rd. *Stai* —4K **19**
Farmers Way. *M'head* —7B **2**
Farm La. *Cipp* —6C **6**
Farm Rd. *M'head* —5B **2**
Farm Rd. *Tap* —5D **4**
Farm Yd. *Wind* —6C **12**
Farnburn Av. *Slou* —4A **6**
Farnham La. *Slou* —2H **5**
Farnham Rd. *Slou* —2A **6**
Farthingales, The. *M'head* —5J **3**
Farthing Grn. La. *Stoke P* —1F **7**
Fawcett Rd. *Wind* —7A **12**
Fawley Clo. *M'head* —2E **2**
Feathers La. *Wray* —1G **19**
Ferndale Pk. *Bray* —5B **10**
Fern Dri. *Tap* —5E **4**
Fernley Ct. *M'head* —3E **2**
Ferry La. *Stai* —1H **19**
Ferry Rd. *Bray* —1K **9**
Fetty Pl. *M'head* —1E **8**
Fieldhurst. *Slou* —4A **20**
Fielding Gdns. *Slou* —1H **13**
Fielding Rd. *M'head* —4C **2**
Fieldings, The. *Holyp* —6H **9**
Fields, The. *Slou* —1C **12**
Field View. *Egh* —4J **19**
Fifield La. *Wink* —3A **14**
Fifield Rd. *M'head* —6A **10**
Filey Spur. *Slou* —2A **12**
Filmer Rd. *Wind* —1G **15**
Finch Ct. *M'head* —7E **2**
Fineleigh Ct. *Slou* —7D **6**
Firbank Pl. *Egh* —5B **18**
Firs Av. *Wind* —2J **15**
Firs Dri. *Slou* —7K **7**
Firs La. *M'head* —1A **8**
First Cres. *Slou* —4B **6**
Fir Tree Av. *Stoke P* —3E **6**
Fishery Rd. *M'head* —7J **3**

Helston La. *Wind* —7A **12**
Helvellyn Clo. *Egh* —6H **19**
Hempson Av. *Slou* —2H **13**
Hemsdale. *M'head* —3C **2**
Hemwood Rd. *Wind* —2G **15**
Hencroft St. N. *Slou* —1E **12**
Hencroft St. S. *Slou* —2E **12**
Hendons Way. *Holyp* —4J **9**
Henley Rd. *M'head* —5A **2**
Henley Rd. *Slou* —5H **5**
Henry Rd. *Slou* —1C **12**
Hermitage Clo. *Slou* —2H **13**
Hermitage La. *Wind* —3K **15**
Herndon Clo. *Egh* —3G **19**
Heron Dri. *Slou* —3C **20**
Heronfield. *Egh* —5B **18**
Herschel Pk. Dri. *Slou* —1E **12**
Herschel St. *Slou* —1E **12**
Hetherington Clo. *Slou* —2J **5**
Hever Clo. *M'head* —6D **2**
Heywood Av. *M'head* —4B **8**
Heywood Ct. *M'head* —4B **8**
Heywood Ct. Clo. *M'head* —3B **8**
Heywood Gdns. *M'head* —4B **8**
Hibbert Rd. *M'head* —2H **9**
Hibbert's All. *Wind* —7C **12**
Highfield Clo. *Egh* —5C **18**
Highfield La. *M'head* —1B **8**
Highfield Rd. *M'head* —4C **2**
Highfield Rd. *M'head* —2J **15**
Highgrove Pk. *M'head* —4F **3**
High St. Bray, *Bray* —1K **9**
High St. Eton, *Eton* —5C **12**
High St. Burnham, *Burn* —2F **5**
High St. Chalvey, *Chalv* —2B **12**
High St. Colnbrook, *Coln* —6D **20**
High St. Datchet, *Dat* —7G **13**
High St. Egham, *Egh* —4F **19**
High St. Langley, *Langl* —4A **20**
High St. Maidenhead, *M'head*
(in two parts) —5G **3**
High St. Slough, *Slou* —7E **6**
High St. Taplow, *Tap* —3B **4**
High St. W. *Slou* —1D **12**
High St. Windsor, *Wind* —7C **12**
High St. Wraysbury, *Wray*
—5K **17**
High Town Rd. *M'head* —6F **3**
(in two parts)
Highway Av. *Slou* —5B **2**
Highway Rd. *M'head* —6C **2**
Hillary Rd. *Slou* —1K **13**
Hillersdon. *Slou* —4G **7**
Hill Farm Rd. *Tap* —1B **4**
Hillmead Ct. *Tap* —4C **4**
Hill Rise. *Slou* —5B **20**
Hillside. *M'head* —7E **2**
Hillside. *Slou* —1D **12**
Hillview Rd. *Wray* —5J **17**
Hilperton Rd. *Slou* —1D **12**
Hindhay La. *M'head* —1C **2**
Hinksey Clo. *Slou* —2C **20**
Hinton Rd. *Slou* —6H **5**
Hitcham La. *Tap & Slou* —2B **4**
Hitcham Rd. *Tap & Slou* —5C **4**
Hobbis Dri. *M'head* —6B **2**
Hogarth Clo. *Slou* —6H **5**
Hogfair La. *Burn* —2F **5**
Holbrook Meadow. *Egh* —5J **19**
Holly Clo. *Egh* —5B **18**
Hollycombe. *Egh* —3C **18**
Holly Cres. *Wind* —1G **15**
Holly Dri. *M'head* —4G **3**
Holly Dri. *Old Win* —4D **16**
Holmanleaze. *M'head* —4H **3**
Holmedale. *Slou* —6H **7**
Holmlea Rd. *Dat* —7H **13**

Holmlea Wlk. *Dat* —7H **13**
Holmwood Clo. *M'head* —7C **2**
Holyport Rd. *M'head* —5H **9**
Holyport St. *Holyp* —5H **9**
Home Meadow. *Farn R* —1B **6**
Homers Rd. *Wind* —7G **11**
Homestead Rd. *M'head* —1E **8**
Homewood. *G Grn* —5J **7**
Hornbeam Gdns. *Slou* —2F **13**
Horseguards Dri. *M'head* —5J **3**
Horsemoor Clo. *Slou* —3B **20**
Horton Clo. *M'head* —3K **3**
Horton Gdns. *Hort* —2K **17**
Horton Grange. *M'head* —3K **3**
Horton Rd. *Dat* —7H **13**
(in two parts)
Howard Av. *Slou* —4C **6**
Howarth Rd. *M'head* —6H **3**
Hubert Rd. *Slou* —2J **13**
Hughenden Clo. *M'head* —6D **2**
Hughenden Rd. *Slou* —5C **6**
Hull Clo. *Slou* —1B **12**
Humber Way. *Slou* —3B **20**
Hummer Rd. *Egh* —3G **19**
Hungerford Av. *Slou* —4D **6**
Hungerford Dri. *M'head* —1F **3**
Huntercombe Clo. *Tap* —5E **4**
Huntercombe La. N. *Slou & Tap*
—4F **5**
Huntercombe La. S. *Tap* —7E **4**
Huntercombe Spur. *Slou* —7F **5**
Hunter Ct. *Burn* —4F **5**
Hunters M. *Wind* —7B **12**
Huntingfield Way. *Egh* —6K **19**
Hunt's La. *Tap* —1B **4**
Hurstfield Dri. *Tap* —5E **4**
Hurst Rd. *Slou* —4G **5**
Hurworth Rd. *Slou* —2H **13**
Hylle Clo. *Wind* —7H **11**
Hythe End Rd. *Wray* —1F **19**
Hythe Field Av. *Egh* —5K **19**
Hythe Pk. Rd. *Egh* —4J **19**
Hythe Rd. *Stai* —4K **19**
Hythe, The. *Stai* —4K **19**

Ilchester Clo. *M'head* —7D **2**
Ilex Clo. *Egh* —6B **18**
Illingworth. *Wind* —2H **15**
Imperial Ct. *Wind* —2K **15**
Imperial Rd. *Wind* —2K **15**
India Rd. *Slou* —1G **13**
Inkerman Rd. *Eton W* —3J **11**
Institute Rd. *Tap* —5C **4**
In-the-Ray. *M'head* —4J **3**
Iona Cres. *Slou* —5H **5**
Ipswich Rd. *Slou* —5J **5**
Island Clo. *Stai* —3K **19**
Island, The. *Wray* —2G **19**
Islet Pk. *M'head* —1K **3**
Islet Pk. Dri. *M'head* —1K **3**
Islet Rd. *M'head* —1J **3**
Ismay Ct. *Slou* —5D **6**
Ives Rd. *Slou* —2A **20**
Ivy Clo. *Holyp* —6H **9**
Ivy Cres. *Slou* —6J **5**

Jacob Clo. *Wind* —7H **11**
Jakes Ho. *M'head* —4H **3**
James St. *Wind* —7C **12**
Jefferson Clo. *Slou* —3B **20**
Jellicoe Clo. *Slou* —1A **12**
Jennery La. *Burn* —2F **5**
Jesus Hospital. *SL6* —2K **9**
John Taylor Ct. *Slou* —7B **6**
Jourdelays Pas. *Wind* —5C **12**

Journeys End. *Stoke P* —4D **6**
Juniper Ct. *Slou* —1F **13**
Juniper Dri. *M'head* —4J **3**
Jutland Pl. *Egh* —1J **19**

Kaywood Clo. *Slou* —2J **13**
Keats La. *Eton* —5B **12**
Keble Rd. *M'head* —4E **2**
Keel Dri. *Slou* —1A **12**
Keeler Clo. *Wind* —2H **15**
Keepers Farm Clo. *Wind* —1H **15**
(in two parts)
Kelpatrick Rd. *Slou* —5G **5**
Kelsey Clo. *M'head* —2E **8**
Kendal Clo. *Slou* —6F **7**
Kendal Dri. *Slou* —6F **7**
Kendrick Rd. *Slou* —2G **13**
Keneally. *Wind* —1F **15**
Kenilworth Clo. *Slou* —2E **12**
Kenneally Clo. *Wind* —1F **15**
Kenneally Pl. *Wind* —1F **15**
Kenneally Row. *Wind* —1F **15**
Kenneally Wlk. *Wind* —1F **15**
(off Guards Rd.)
Kennedy Clo. *M'head* —6D **2**
Kennet Rd. *M'head* —4G **3**
Kennett Rd. *Slou* —2C **20**
Kent Av. *Slou* —4B **6**
Kentons La. *Wind* —1H **15**
Kent Way. *M'head* —3F **3**
Kenwood Clo. *M'head* —5B **2**
Keppel Spur. *Old Win* —6G **17**
Kepple St. *Wind* —1C **16**
Kestrel Path. *Slou* —3H **5**
Keswick Clo. *Slou* —6E **6**
Keswick Rd. *Egh* —6H **19**
Keys La. *M'head* —6G **3**
Kidderminster Rd. *Slou* —2K **5**
Kidwells Clo. *M'head* —5G **3**
Kidwells Pk. Dri. *M'head* —5G **3**
Killarney Dri. *M'head* —5F **3**
Kiln Pl. *M'head* —1B **2**
Kimber Clo. *Wind* —2K **15**
Kimberley Clo. *Slou* —3A **20**
Kimbers Dri. *Burn* —2G **5**
Kimbers La. *M'head* —2F **9**
Kinburn Dri. *Egh* —4E **18**
King Acre Ct. *Stai* —2K **19**
King Edward Ct. *Wind* —7C **12**
King Edward VII Av. *Wind*
—6D **12**
King Edward St. *Slou* —1C **12**
Kingfisher Ct. *Slou* —3A **6**
Kinghorn La. *M'head* —1E **2**
Kinghorn Pk. *M'head* —1E **2**
King John's Clo. *Stai* —5H **17**
Kingsbury Cres. *Stai* —3H **19**
Kingsbury Dri. *Old Win* —6F **17**
Kings Dri. *M'head* —6F **3**
Kingsfield. *Wind* —7G **11**
Kings Gro. *M'head* —6F **3**
Kings La. *Egh* —4E **18**
(Egham)
Kings La. *Egh* —4A **18**
(Englefield Green)
Kingsley Av. *Slou* —5B **18**
Kingsley Path. *Slou* —3G **5**
Kings Rd. *Egh* —3G **19**
King's Rd. *Slou* —2D **12**
King's Rd. *Wind* —3C **16**
Kingstable St. *Eton* —5C **12**
King St. *M'head* —5G **3**
(in three parts)
Kingswood Clo. *Egh* —3D **18**
Kingswood Ct. *M'head* —7G **3**
Kingswood Creek. *Wray* —4J **17**

Kingswood Ho. *Slou* —4B **6**
Kingswood Rise. *Egh* —4D **18**
Kinnaird Clo. *Slou* —5F **5**
Kipling Ct. *Wind* —1A **16**
Kirkwall Spur. *Slou* —4D **6**
Knights Clo. *Egh* —5K **19**
Knights Clo. *Wind* —7G **11**
Knolton Way. *Slou* —5G **7**
Knowsley Clo. *M'head* —3B **2**
Koya Ct. *Wex* —5G **7**

Laburnham Rd. *M'head* —6E **2**
Laburnum Gro. *Slou* —5C **20**
Laburnum Pl. *Egh* —5B **18**
Lacey Clo. *Egh* —6K **19**
Ladbrooke Rd. *Slou* —2B **12**
Ladyday Pl. *Slou* —7B **6**
Lake Av. *Slou* —6C **6**
Lake End Ct. *Tap* —5D **4**
Lake End Rd. *Tap* —6E **4**
Lakeside. *M'head* —2J **3**
Lake View. *M'head* —3H **3**
Lake View Cvn. Site. *Wink*
—7B **12**
Lambert Av. *Slou* —2K **13**
Lambourne Dri. *M'head* —2D **8**
Lammas Clo. *Stai* —3K **19**
Lammas Ct. *Stai* —1K **19**
Lammas Ct. *Wind* —1B **16**
Lammas Dri. *Stai* —3K **19**
Lammas Rd. *Slou* —4G **5**
Lancaster Av. *Slou* —3B **6**
Lancaster Clo. *Egh* —4D **18**
Lancaster Rd. *M'head* —4C **2**
Lancastria M. *M'head* —5E **2**
Lancelot Clo. *Slou* —1K **11**
Langdale Clo. *M'head* —6H **3**
Langham Pl. *Egh* —4F **19**
Langley Broom. *Slou* —4A **20**
Langley Bus. Cen. *Langl* —1B **20**
Langley Bus. Pk. *Langl* —1A **20**
Langley Pk. Rd. *Slou & Iver*
—1B **20**
Langley Quay. *Langl* —1B **20**
Langley Rd. *Slou* —1H **13**
Langley Roundabout. (Junct.)
—5B **20**
Langton Clo. *M'head* —3E **2**
Langton Clo. *Slou* —7G **5**
Langton Way. *Egh* —5J **19**
Langworthy End. *M'head* —5J **9**
Langworthy La. *M'head* —5H **9**
Lansdowne Av. *Slou* —7D **6**
Lansdowne Ct. *Slou* —7D **6**
Lantern Wlk. *M'head* —5J **3**
Larch Clo. *Slou* —4A **6**
Larchfield Rd. *M'head* —7E **2**
Larchwood Dri. *Egh* —5B **18**
Larkings La. *Stoke P* —1G **7**
Larksfield. *Egh* —6C **18**
La Roche Clo. *Slou* —2H **13**
Lascelles Rd. *Slou* —2G **13**
Lassell Ct. *M'head* —5J **3**
Lassell Gdns. *M'head* —5J **3**
Laurel Av. *Egh* —4B **18**
Laurel Av. *Slou* —1K **13**
Lawkland. *Farn R* —2B **6**
Lawn Clo. *Dat* —6H **13**
Lawrence Ct. *Wind* —1B **16**
Lawrence Way. *Slou* —4G **5**
Laxton Grn. *M'head* —2D **8**
Layburn Cres. *Slou* —5C **20**
Leaholme Gdns. *Slou* —4F **5**
Lea, The. *Egh* —6J **19**

Morley Clo. *Slou* —1A **20**
Morrice Clo. *Slou* —3A **20**
Mortimer Rd. *Slou* —2J **13**
Mossy Vale. *M'head* —3E **2**
Mountbatten Clo. *Slou* —2F **13**
Mountbatten Sq. *Wind* —7B **12**
Mount Hill. *Wink* —7F **15**
Mt. Lee. *Egh* —4F **19**
Mounts Hill. *Wink* —7F **15**
Mowbray Cres. *Egh* —4G **19**
Muddy La. *Slou* —4D **6**
Mulberry Av. *Wind* —2E **16**
Mulberry Dri. *Slou* —4K **13**
Mulberry Wlk. *M'head* —4D **2**
Mullens Rd. *Egh* —4J **19**
Mundesley Spur. *Slou* —5D **6**
Murrin Rd. *M'head* —4D **2**
Myrke, The. *Dat* —3E **12**
Myrtle Cres. *Slou* —6E **6**

**N**apier Rd. *M'head* —6C **2**
Nash Rd. *Slou* —3A **20**
Needham Clo. *M'head* —7H **11**
Nelson Clo. *Slou* —3J **13**
Nelson Rd. *Wind* —2J **15**
Neville Ct. *Burn* —2F **5**
Newbeach Ho. *Slou* —2A **6**
Newberry Cres. *Wind* —1G **15**
Newbery Way. *Slou* —1C **12**
Newbury Dri. *M'head* —6J **3**
Newchurch Rd. *Slou* —4J **5**
New Cut. *Slou* —3D **4**
Newhaven Spur. *Slou* —3A **6**
Newlands Dri. *M'head* —5B **2**
Newnham Clo. *Slou* —7F **7**
Newport Rd. *Slou* —3H **5**
New Rd. *M'head* —5J **9**
New Rd. *Dat* —7J **13**
New Rd. *Langl* —2B **20**
New Rd. *Stai* —4J **19**
New Sq. *Slou* —1E **12**
Newton Clo. *Slou* —1A **20**
Newton Ct. *Old Win* —5F **17**
Newton La. *Old Win* —5G **17**
Newtonside Orchard. *Old Win*
—5F **17**
New Wickham La. *Egh* —6G **19**
Nicholls. *Wind* —2F **15**
Nicholls Wlk. *Wind* —2F **15**
*Nicholson M. Egh* —4G **19**
(off Nicholson Wlk.)
Nicholsons La. *M'head* —5G **3**
Nicholsons Wlk. *M'head* —5G **3**
Nicholson Wlk. *Egh* —4G **19**
Nightingale La. *M'head* —1E **2**
Nixley Clo. *Slou* —1F **13**
Nobles Way. *Egh* —5E **18**
Norden Clo. *M'head* —1D **8**
Norden Meadows. *M'head* —7D **2**
Norden Rd. *M'head* —7D **2**
Norelands Dri. *Burn* —1F **5**
Norfolk Av. *Slou* —4B **5**
Norfolk Pk. Cotts. *M'head* —4G **3**
Norfolk Rd. *M'head* —4F **3**
Normandy Wlk. *Egh* —4J **19**
Normans, The. *Slou* —5G **7**
Norreys Dri. *M'head* —1D **8**
Northampton Av. *Slou* —5B **6**
Northborough Rd. *Slou* —3K **5**
N. Burnham Clo. *Burn* —1E **4**
North Clo. *Wind* —7J **11**
Northcroft. *Slou* —3A **6**
Northcroft Clo. *Egh* —4B **18**
Northcroft Gdns. *Egh* —4B **18**
Northcroft Rd. *Egh* —4B **18**
Northcroft Vs. *Egh* —4B **18**

N. Dean. *M'head* —3G **3**
North Dri. *Stoke P* —2D **6**
Northern Rd. *Slou* —3C **6**
Northfield Rd. *M'head* —3G **3**
Northfield Rd. *Eton W* —3J **11**
North Grn. *M'head* —3G **3**
North Grn. *Slou* —6D **6**
Northmead Rd. *Slou* —4J **5**
N. Park Rd. *Iver* —2E **20**
North Rd. *M'head* —5F **3**
N. Star La. *M'head* —6D **2**
North St. *Egh* —4F **19**
North St. *Wink* —7E **14**
North Ter. *Wind* —6D **12**
N. Town Clo. *M'head* —3G **3**
N. Town Mead. *M'head* —3G **3**
N. Town Moor. *M'head* —2G **3**
N. Town Rd. *M'head* —3G **3**
Northumbria Rd. *M'head* —1C **8**
Norway Dri. *Slou* —4G **7**
Notley End. *Egh* —6C **18**
Nursery La. *Slou* —7H **7**
Nursery Rd. *Tap* —5E **4**
Nursery Way. *Wray* —5J **17**

**O**ak Av. *Egh* —6J **19**
Oaken Gro. *M'head* —4C **2**
Oakfield Av. *Slou* —7A **6**
Oakhurst. *M'head* —1J **3**
Oak La. *Slou* —2C **18**
Oak La. *Wind* —7K **11**
Oakley Ct. *Water O* —5D **10**
Oakley Cres. *Slou* —6D **6**
Oakley Grn. Rd. *Oak G* —1B **14**
Oakley M. *Wind* —1H **15**
Oak Stubbs La. *Dor R* —1C **10**
Oak Tree Dri. *Egh* —4C **18**
Oast Ho. Clo. *Wray* —6K **17**
Oatlands Dri. *Slou* —5C **6**
Oban Ct. *Chalv* —1C **12**
Observatory Shop. Cen., The.
*Slou* —1F **13**
Ockwells Rd. *M'head* —2C **8**
Odencroft Rd. *Slou* —2K **5**
Oldacres. *M'head* —5J **3**
Old Beechwood Gdns. *Slou*
—1D **12**
Old Ct. Clo. *M'head* —2C **8**
Old Crown Cen. *Slou* —1E **12**
Oldershaw M. *M'head* —4C **2**
Old Ferry Dri. *Wray* —5J **17**
Oldfield Rd. *M'head* —6J **3**
Old Fives Ct. *Burn* —2E **4**
Old Forge Clo. *M'head* —2H **9**
Old Ho. Ct. *Wex* —4J **7**
Old Marsh La. *Tap* —1C **10**
Old Mill La. *Bray* —1K **9**
Old School Ct. *Wray* —6K **17**
Oldway La. *Slou* —1G **11**
(in three parts)
Old Windsor Lock. *Old Win*
—4H **17**
Omega Way. *Egh* —7J **19**
Opendale Rd. *Burn* —4E **4**
Orchard Av. *Slou* —4G **5**
Orchard Av. *Wind* —7K **11**
Orchard Clo. *M'head* —2H **9**
Orchard Clo. *Egh* —3H **19**
Orchard Gro. *M'head* —5D **2**
Orchard Rd. *Old Win* —5G **17**
Orchards Residential Pk. *Slou*
—7K **7**
Orchardville. *Burn* —3E **4**
Orchard Way. *Slou* —7K **7**
Orchid Ct. *Egh* —3H **19**
Orwell Clo. *Wind* —2C **16**

Osborne Ct. *Wind* —1B **16**
Osborne M. *Wind* —1B **16**
Osborne Rd. *Egh* —5F **19**
Osborne Rd. *Wind* —1B **16**
Osborne St. *Slou* —1E **12**
Osier Pl. *Egh* —5J **19**
Osney Rd. *M'head* —2F **3**
Ostler Ga. *M'head* —3D **2**
Ouseley Rd. *Old Win* —6H **17**
Ousley Rd. *Wray* —6H **17**
Oxford Av. *Burn* —1E **4**
Oxford Av. *Slou* —4J **5**

**P**addock Clo. *M'head* —3B **8**
Paddock, The. *M'head* —2D **2**
Paddock, The. *Dat* —7G **13**
Paddock, The. *Wink* —7E **14**
Padstow Clo. *Slou* —2K **13**
Paget Dri. *M'head* —1B **8**
Paget Rd. *Slou* —3A **20**
Pagoda, The. *M'head* —3J **3**
Palace Clo. *Slou* —7J **5**
Paley St. *M'head* —7C **8**
Palmers Clo. *M'head* —2B **8**
Palmerston Av. *Slou* —2G **13**
Pamela Row. *Holyp* —5H **9**
Pantile Row. *Slou* —3B **20**
Parade, The. *Stai* —4K **19**
Parade, The. *Wind* —7G **11**
Park Av. *Egh* —5J **19**
Park Av. *Wray* —4J **17**
Park Clo. *Wind* —1C **16**
Park Corner. *Wind* —2H **15**
Parkgate. *Burn* —3F **5**
Parkland Av. *Slou* —3J **13**
Park La. *Slou* —2G **13**
Park La. *Wink* —7E **14**
Park Lawn. *Farn R* —2B **6**
Park Ride. *Wind* —6G **15**
Park Rd. *Egh* —5H **19**
Park Rd. *Farn R* —1B **6**
Parkside. *M'head* —3E **2**
Parkside Wlk. *Slou* —2F **13**
Park Sq. *Wink* —7E **14**
Park St. *M'head* —5G **3**
Park St. *Coln* —7E **20**
Park St. *Slou* —2E **12**
Park St. *Wind* —7C **12**
Parkview Chase. *Slou* —5H **5**
Parlaunt Rd. *Slou* —3B **20**
Parry Grn. N. *Slou* —3A **20**
Parry Grn. S. *Slou* —3B **20**
Parsonage La. *Farn C* —1C **6**
Parsonage La. *Wind* —7K **11**
Parsonage Rd. *Egh* —4D **18**
Partridge Mead. *M'head* —2G **3**
Patricia Clo. *Slou* —6H **5**
Paul Av. *Egh* —7J **19**
Paxton Av. *Slou* —2B **12**
Peacock Ga. *Slou* —6C **6**
Pearce Clo. *M'head* —3G **3**
Pearce Rd. *M'head* —3G **3**
Pear Gdns. *Chalv* —7A **6**
Peartree Clo. *Slou* —7J **5**
Peascod Pl. *Wind* —7C **12**
Peascod St. *Wind* —7B **12**
Peel Clo. *Wind* —2A **16**
Peel Ct. *Slou* —4K **5**
Pelling Hill. *Old Win* —6G **17**
Pemberton Rd. *Slou* —3H **5**
Pennine Rd. *Slou* —4K **5**
Penn Meadow. *Stoke P* —1E **6**
Penn Rd. *Dat* —7J **13**
Penn Rd. *Slou* —3C **6**
Penrose Ct. *Egh* —5C **18**
Penshurst Rd. *M'head* —7E **2**

Pentland Rd. *Slou* —4K **5**
Penwood Ct. *M'head* —5C **2**
Penyston Rd. *M'head* —5D **2**
Penzance Spur. *Slou* —3A **6**
Pepys Clo. *Slou* —5C **20**
Percy Pl. *Dat* —7G **13**
Perrycroft. *Wind* —2H **15**
Perryfields. *Burn* —3F **5**
Perryman Way. *Slou* —2J **5**
Perth Av. *Slou* —5A **6**
Perth Trad. Est. *Slou* —4A **6**
Peterhead M. *Langl* —4B **20**
Petersfield Av. *Slou* —7F **7**
Peters La. *Holyp* —5J **9**
Pevensey Rd. *Slou* —4K **5**
Pheasants Croft. *M'head* —1B **8**
Philpotts Gdns. *Chalv* —1K **11**
Phipps Clo. *M'head* —3B **8**
Phipps Rd. *Slou* —4G **5**
(in three parts)
Pickford Dri. *Slou* —7K **7**
Pierson Rd. *Wind* —7G **11**
Pine Clo. *M'head* —5C **2**
Pine Trees Bus. Pk. *Stai* —4K **1**
Pine Way. *Egh* —5B **18**
Pink La. *Burn* —1E **4**
Pinkneys Dri. *M'head* —5A **2**
Pinkneys Rd. *M'head* —3B **2**
Pipers Clo. *Burn* —2F **5**
Pitts Rd. *Slou* —7B **6**
Plackett Way. *Slou* —7G **5**
Plain Ride. *Wind* —7F **15**
Plough La. *Stoke P* —1G **7**
Plough Lees La. *Slou* —6D **6**
Plymouth Rd. *Slou* —4H **5**
Pococks La. *Eton* —4D **12**
Points, The. *M'head* —2C **8**
Pollard Clo. *Old Win* —4G **17**
Pond Rd. *Egh* —5J **19**
Pooley Av. *Egh* —4H **19**
Pooley Grn. Clo. *Egh* —4J **19**
Pooley Grn. Rd. *Egh* —4H **19**
Pool La. *Slou* —6D **6**
Poolmans Rd. *Wind* —2G **15**
Popes Clo. *Coln* —6C **20**
Poplar Ho. *Langl* —4A **20**
Poplars Gro. *M'head* —2J **3**
*Portland Bus. Cen. Dat* —7G **13**
(off Manor Ho. La.)
Portland Clo. *Slou* —3G **5**
Portlock Rd. *M'head* —5D **2**
Portsmouth Ct. *Slou* —6D **6**
Post Office La. *G Grn* —5J **7**
Poulcott. *Wray* —5K **17**
Pound, The. *Burn* —3G **5**
Powis Clo. *M'head* —1C **8**
Powney Rd. *M'head* —5D **2**
Poyle La. *Burn* —1E **4**
Precincts, The. *Burn* —3E **4**
Precinct, The. *Egh* —4H **19**
Preston Rd. *Slou* —6H **7**
Prestwood. *Slou* —5G **7**
Priest Hill. *Egh & Old Win*
—2C **1**
Primrose La. *M'head* —7H **9**
Prince Albert's Wlk. *Wind* —7F **1**
Prince Andrew Clo. *M'head*
—4J **3**
Prince Andrew Rd. *M'head* —3J **3**
Prince Consort Cotts. *Wind*
—1C **1**
Prince Consort's Dri. *Wind*
—5J **1**
Princes Clo. *Eton W* —4J **11**
Princes Rd. *Egh* —5F **19**
Princess Av. *Wind* —2A **16**
Princess St. *M'head* —6G **3**

rinces St. *Slou* —1G **13**
iors Clo. *M'head* —3J **9**
iors Clo. *Slou* —2F **13**
iors Rd. *Wind* —2G **15**
iory Rd. *Slou* —4F **5**
iory Way. *Dat* —6G **13**
rogress Bus. Cen. *Slou* —5G **5**
ospect La. *Egh* —4A **18**
ospect Pl. *Egh* —4E **18**
ovidence Pl. *M'head* —5G **3**
une Hill. *Egh* —6D **18**
irssell Clo. *M'head* —2B **8**

uantock Clo. *Slou* —4B **20**
uaves Rd. *Slou* —2G **13**
ueen Adelaide's Ride. *Wind*
   —5G **15**
ueen Anne's Rd. *Wind* —7B **12**
ueen Ann's Ct. *Wind* —7B **12**
ueen Charlotte St. *Wind* —7C **12**
ueen Elizabeth's Wlk. *Wind*
   —1D **16**
ueens Acre. *Wind* —3C **16**
ueen's Clo. *Old Win* —4F **17**
ueens Ct. *Slou* —6E **6**
ueen's Clo. *Slou* —1K **7**
ueensmead. *Dat* —7G **13**
ueensmere. *Slou* —1E **12**
ueensmere Rd. *Slou* —1F **13**
ueensmere Shop. Cen. *Slou*
   —1E **12**
ueen's Rd. *Dat* —6G **13**
ueen's Rd. *Egh* —4F **19**
ueens Rd. *Eton W* —4J **11**
ueen's Rd. *Slou* —6E **6**
ueen's Rd. *Wind* —1B **16**
ueen St. *M'head* —6G **3**
(in three parts)
ueensway. *M'head* —3F **3**
ueen Victoria Wlk. *Wind*
   —7D **12**
uelmans Head Ride. *Wind*
   —7G **15**
uinbrookes. *Slou* —5H **7**
uincy Rd. *Egh* —4G **19**

adcot Av. *Langl* —2C **20**
adcot Clo. *M'head* —1F **3**
adnor Way. *Slou* —3K **13**
aglan Ho. *Slou* —7E **6**
agstone Av. *Slou* —2C **12**
ailway Ter. *Slou* —7E **6**
ailway Ter. *Stai* —4K **19**
ainsborough Chase. *M'head*
   —2C **8**
aleigh Clo. *Slou* —7K **5**
ambler Clo. *Tap* —5E **4**
ambler La. *Slou* —2H **13**
amsey Ct. *Slou* —3G **5**
andall Clo. *Slou* —4A **20**
andolph Rd. *Slou* —2K **13**
avenfield. *Egh* —5C **18**
avensfield. *Slou* —1J **13**
avensworth Rd. *Slou* —2K **5**
ay Dri. *Slou* —5J **3**
ay Lea Clo. *M'head* —4J **3**
ay Lea Rd. *M'head* —3J **3**
ay Lodge M. *M'head* —5J **3**
ay Mead Ct. *M'head* —3K **3**
ay Mead Rd. *M'head* —5K **3**
ay Mill Rd. E. *M'head* —3H **3**
ay Mill Rd. W. *M'head* —4G **3**
aymond Rd. *M'head* —5E **2**
aymond Rd. *Slou* —2B **20**

Rayners Clo. *Coln* —6D **20**
Ray Pk. Av. *M'head* —3J **3**
Ray Pk. La. *M'head* —5J **3**
Ray Pk. Rd. *M'head* —4J **3**
Ray's Av. *Wind* —6J **11**
Ray St. *M'head* —5J **3**
Rectory Clo. *Farn R* —2B **6**
Rectory Clo. *Wind* —7K **11**
Rectory Rd. *Tap* —3A **4**
Red Cottage M. *Slou* —2H **13**
Red Ct. *Slou* —7D **6**
Reddington Dri. *Slou* —3K **13**
Redford Rd. *Wind* —7G **11**
Redriff Clo. *M'head* —6E **2**
Redwood. *Burn* —1E **4**
Redwood Gdns. *Slou* —6C **6**
Reeve Clo. *Holyp* —5J **9**
Reform Rd. *M'head* —5J **3**
Regent Ct. *M'head* —5G **3**
Regent Ct. *Slou* —5D **6**
Reid Av. *M'head* —7E **2**
Repton Clo. *M'head* —2D **8**
Retreat, The. *M'head* —6A **10**
Retreat, The. *Egh* —4D **18**
Revesby Clo. *M'head* —2E **8**
Rhodes Clo. *Egh* —4J **19**
*Rhodes Ct. Egh* —4J **19**
(off Pooley Grn. Clo.)
Ribstone Rd. *M'head* —2C **8**
Ricardo Rd. *Old Win* —5G **17**
Richards Way. *Slou* —7H **5**
Richmond Cres. *Slou* —7F **7**
Ridgebank. *Slou* —6J **5**
Ridgemead Rd. *Egh* —2A **18**
Riding Ct. Rd. *Dat* —6H **13**
Ridings, The. *M'head* —6B **2**
Ripley Av. *Egh* —5E **18**
Ripley Clo. *Slou* —3K **13**
Risborough Rd. *M'head* —4F **3**
Riseley Rd. *M'head* —5E **2**
Riverbank, The. *Wind* —6A **12**
River Gdns. *Bray* —1A **10**
River Pk. Av. *Stai* —3K **19**
River Rd. *Tap* —6K **3**
River Rd. *M'head* —6F **11**
Riverside. *Egh* —2G **19**
Riverside. *Wray* —6H **17**
Riverside Wlk. *Wind* —6C **12**
River St. *Wind* —6C **12**
Rixman Clo. *M'head* —7E **2**
Rixon Clo. *G Grn* —5K **7**
Roasthill La. *Eton W* —5G **11**
Roberts Way. *Egh* —6C **18**
Robin Hood Clo. *Slou* —7J **5**
Robin Willis Way. *Old Win*
   —5F **17**
Rochester Rd. *Stai* —5K **19**
Rochfords Gdns. *Slou* —7H **7**
Rochford Way. *Tap* —6D **4**
Rockall Ct. *Slou* —2C **20**
Roebuck Grn. *Slou* —7H **5**
Roger's La. *Slou* —1E **5**
Rokesby Rd. *Slou* —2J **5**
Rolls La. *Holyp* —5F **9**
Romney Lock Rd. *Wind* —6C **12**
Romsey Clo. *Slou* —2A **20**
Ronaldsay Spur. *Slou* —4D **6**
Rosehill Ct. *Slou* —2F **13**
Roseleigh Clo. *M'head* —5B **2**
Rose Rd. *M'head* —7E **2**
Roses La. *Wind* —1G **15**
Rose Wlk. *Slou* —4J **5**
Rosken Gdns. *Farn R* —1A **6**
Rossiter Clo. *Slou* —3K **13**
Ross Rd. *M'head* —7E **2**
Roundway. *Egh* —4J **19**
Rowan Av. *Egh* —4J **19**

Rowan Way. *Slou* —4A **6**
Rowland Clo. *Wind* —2G **15**
Rowley La. *Wex* —1J **7**
Roxborough Way. *M'head* —1A **8**
Roxwell Clo. *Slou* —7H **5**
Royal Free Ct. *Wind* —7C **12**
Royal M. *Wind C* —7C **12**
Royston Way. *Slou* —4F **5**
Ruby Clo. *Slou* —2K **11**
Ruddlesway. *Wind* —7G **11**
(in three parts)
Rudsworth Clo. *Coln* —6E **20**
Runnemede Rd. *Egh* —3G **19**
Runnymede Ct. *Egh* —3G **19**
Ruscombe Gdns. *Dat* —5F **13**
Rusham Ct. *Egh* —5G **19**
Rusham Pk. Av. *Egh* —5F **19**
Rusham Rd. *Egh* —5F **19**
Rushes, The. *M'head* —6J **3**
Rushington Av. *M'head* —6G **3**
Rushmere Pl. *Egh* —4E **18**
Russell Ct. *M'head* —5G **3**
Russell St. *Wind* —7C **12**
Russet Rd. *M'head* —2D **8**
Rutherford Clo. *Wind* —7J **11**
Rutland Av. *Slou* —4B **6**
Rutland Ga. *M'head* —6D **2**
Rutland Pl. *M'head* —6D **2**
Rutland Rd. *M'head* —6E **2**
Rycroft. *Wind* —2J **15**
Rydal Way. *Egh* —6H **19**
Rydings. *Wind* —2J **15**
Rye Clo. *M'head* —1B **8**
Rye Ct. *Slou* —2F **13**
Rylstone Clo. *M'head* —2D **8**
Ryvers Rd. *Slou* —2A **20**

adlers M. *M'head* —5J **3**
Saffron Clo. *Dat* —7G **13**
St Adrians Clo. *M'head* —1C **8**
St Alban's Clo. *Wind* —7C **12**
St Alban's St. *Wind* —7C **12**
St Andrew's Av. *Wind* —1J **15**
St Andrew's Clo. *Old Win*
   —5F **17**
St Andrews Clo. *Wray* —5K **17**
St Andrew's Cres. *Wind* —1J **15**
St Andrew's Way. *Slou* —6G **5**
St Bernards Rd. *Slou* —4H **5**
St Chads Rd. *M'head* —1C **8**
St Cloud Way. *M'head* —5G **3**
St Columbus Clo. *M'head* —1C **8**
St Cuthberts Clo. *Egh* —4D **18**
St Davids Clo. *M'head* —1B **8**
St David's Dri. *Egh* —6C **18**
St Elmo Clo. *Slou* —3C **6**
St Elmo Cres. *Slou* —3C **6**
St Georges Clo. *Wind* —7H **11**
St George's Cres. *Slou* —6G **5**
St Ives Rd. *M'head* —5H **3**
St James Pl. *Slou* —5F **5**
St John's Ct. *Egh* —4G **19**
St John's Dri. *Wind* —1K **15**
St Johns Rd. *Slou* —6F **7**
St John's Rd. *Wind* —1K **15**
St Jude's Clo. *Egh* —4C **18**
St Jude's Rd. *Egh* —4C **18**
St Laurence Way. *Slou* —2F **13**
St Leonard's Av. *Wind* —1B **16**
St Leonard's Hill. *Wind* —3G **15**
St Leonard's Rd. *Wind* —2K **15**
(Windsor)
St Leonard's Rd. *Wind* —5F **15**
(Windsor Safari Park)
St Luke's Rd. *Slou* —5G **3**
St Luke's Rd. *Old Win* —5F **17**

St Margarets Rd. *M'head* —5B **2**
St Mark's Cres. *M'head* —5C **2**
St Marks Pl. *Wind* —1B **16**
St Mark's Rd. *M'head* —5D **2**
St Marks Rd. *Wind* —1B **16**
St Mary's Clo. *M'head* —5G **3**
St Mary's Rd. *Langl* —7K **7**
St Mary's Wlk. *M'head* —5G **3**
St Michaels Ct. *Slou* —3G **5**
St Nazaire Clo. *Egh* —4K **19**
St Patricks Clo. *M'head* —1C **8**
St Pauls Av. *Slou* —6E **6**
St Paul's Rd. *Stai* —4K **19**
St Peter's Clo. *Burn* —3E **4**
St Peter's Clo. *Old Win* —4F **17**
St Peter's Rd. *M'head* —2E **2**
St Thomas Wlk. *Coln* —6E **20**
Salisbury Av. *Slou* —3B **6**
Salters Clo. *M'head* —5H **3**
Salters Rd. *M'head* —5J **3**
Salt Hill Av. *Slou* —7B **6**
Salt Hill Dri. *Slou* —7B **6**
Salt Hill Mans. *Slou* —7B **6**
Salt Hill Way. *Slou* —7B **6**
Sampson's Grn. *Slou* —2J **5**
Sandisplatt Rd. *M'head* —6B **2**
Sandlers End. *Slou* —3A **6**
Sandown Rd. *Slou* —4J **5**
Sandringham Ct. *Slou* —5G **5**
Sandringham Rd. *M'head* —2F **3**
Sands Farm Dri. *Burn* —3F **5**
Sandy Mead. *M'head* —4K **9**
Sarsby Dri. *Stai* —1G **19**
Savoy Ct. *M'head* —3G **3**
Sawyers Clo. *M'head* —3B **8**
Sawyers Clo. *Wind* —6H **11**
Sawyers Cres. *M'head* —3B **8**
Saxon Clo. *Slou* —1A **20**
Saxon Gdns. *Tap* —3A **4**
Saxon Way. *Old Win* —5G **17**
Scafell Rd. *Slou* —3J **5**
Scarborough Way. *Slou* —2A **12**
School Allotment Ride. *Wind*
   —6E **14**
School La. *M'head* —3F **3**
School La. *Egh* —4G **19**
School Wlk. *Slou* —6G **7**
Schroder Ct. *Egh* —4B **18**
Seacourt Rd. *Slou* —3C **20**
Second Cres. *Slou* —4B **6**
Selwyn Clo. *Wind* —1H **15**
Selwyn Pl. *Cipp* —6J **5**
Sermed Ct. *Slou* —7H **5**
Severn Cres. *Slou* —4C **20**
Seymour Clo. *M'head* —2C **8**
Seymour Rd. *Slou* —1C **12**
Shackleton Rd. *Slou* —6E **6**
Shaftesbury Clo. *Slou* —1D **12**
Shaggy Calf La. *Slou* —2C **6**
Sharney Av. *Slou* —2C **20**
Shaw Ct. *Old Win* —4F **17**
Sheehy Way. *Slou* —6G **7**
Sheepcote Rd. *Eton W* —4K **11**
Sheepcote Rd. *Wind* —1H **15**
Sheephouse Rd. *M'head* —3J **3**
Sheet St. *Wind* —1C **16**
Sheet St. Rd. *Wind* —7J **15**
Sheffield Rd. *Slou* —5B **6**
Shelley Clo. *Slou* —4B **20**
Shelton Ct. *Slou* —2H **13**
Shenstone Dri. *Burn* —3G **5**
Sherbourne Dri. *M'head* —2D **8**
Sherbourne Rd. *Wind* —3J **15**
Sheridan Ct. *Cipp* —6H **5**
Sherman Rd. *Slou* —4D **6**
Sherwood Clo. *Slou* —2K **13**
Sherwood Ct. *Coln* —4A **20**

Sherwood Dri. *M'head* —6B **2**
Shifford Cres. *M'head* —2F **3**
Shirley Av. *Wind* —7J **11**
Shirley Rd. *M'head* —7D **2**
Shoppenhangers Rd. *M'head*
—2C **8**
Shop Rd. *Wind* —6F **11**
Shoreham Rise. *Slou* —3G **5**
Shortfern. *Slou* —5H **7**
Sidney Rd. *Wind* —2F **15**
Silco Dri. *M'head* —6F **3**
Silver Clo. *M'head* —7B **2**
Silvertrees Dri. *M'head* —7C **2**
Simmons Clo. *Slou* —3B **20**
Simons Wlk. *Egh* —6C **18**
Simpson Clo. *M'head* —4J **3**
Sinkins Ho. *Chalv* —7B **6**
Skerries Ct. *Langl* —3B **20**
Sky Bus. Cen. *Egh* —7J **19**
Skydmore Path. *Slou* —2J **5**
*Skye Lodge. Slou* —7D **6**
   *(off Lansdowne Av.)*
Slough Ind. Est. *Slou* —5K **5**
Slough Rd. *Dat* —4F **13**
Slough Rd. *Eton C & Slou*
—5C **12**
Slough Trad. Est. *Slou* —4J **5**
Smithfield Clo. *M'head* —2A **8**
Smithfield Rd. *M'head* —2A **8**
Smith's La. *Wind* —1H **15**
Snape Spur. *Slou* —5D **6**
Snowball Hill. *M'head* —5C **8**
Snowball Hill. *M'head* —4B **8**
Snowden Clo. *Wind* —3G **15**
Somerford Clo. *M'head* —4J **3**
Somersby Cres. *M'head* —2F **9**
Somerville Rd. *Eton* —4B **12**
Sospel Ct. *Farn R* —1B **6**
South Av. *Egh* —5J **19**
South Clo. *Slou* —6G **5**
South Croft. *Egh* —4B **18**
Southcroft. *Slou* —3A **6**
Southfield Clo. *Dor* —2F **11**
Southfield Gdns. *Burn* —4E **4**
Southgate Ho. *M'head* —5G **3**
Southlea Rd. *Dat & Old Win*
—7G **13**
S. Meadow La. *Eton* —5B **12**
S. Path. *M'head* —7B **12**
South Rd. *M'head* —6F **3**
South Rd. *Egh* —5C **18**
Southwold Spur. *Slou* —1D **20**
Spackmans Way. *Slou* —2B **12**
Spencer Gdns. *Egh* —4D **18**
Spencer Rd. *Slou* —2A **20**
Spencers Clo. *M'head* —4E **2**
Spencers Rd. *M'head* —4E **2**
Spens. *M'head* —4G **3**
Sperling Rd. *M'head* —3G **3**
Spinners Wlk. *M'head* —7B **12**
Spinney. *Slou* —7A **6**
Spinney La. *Wink* —7E **14**
Springate Field. *Slou* —1K **13**
Spring Av. *Egh* —5E **18**
Spring Clo. *M'head* —2G **3**
Springfield Pk. *Wind* —1A **16**
Springfield Pk. *M'head* —4J **9**
Springfield Rd. *Slou* —6C **20**
Springfield Rd. *Wind* —1A **16**
Spring Hill. *M'head* —2F **9**
Spring La. *Slou* —7J **5**
Spring Rise. *Egh* —5E **18**
Spruce Ct. *Slou* —2E **12**
Spur, The. *Slou* —4J **5**
Squirrel Dri. *Wink* —7E **14**
Squirrel La. *Wink* —7E **14**

Stafferton Way. *M'head* —6G **3**
Stafford Av. *Slou* —3B **6**
Stafford Clo. *Tap* —5E **4**
Staines Bri. *Stai* —4K **19**
Staines By-Pass. *Stai* —1J **19**
Staines Rd. *Wray* —6K **17**
   *(in two parts)*
Stamford Rd. *M'head* —6D **2**
Stanhope Rd. *Slou* —5G **5**
Stanley Cotts. *Slou* —7E **6**
Stanley Grn. E. *Slou* —3A **20**
Stanley Grn. W. *Slou* —3A **20**
Stanton Way. *Slou* —3K **13**
Starwood Ct. *Slou* —2H **13**
Station App. *M'head* —6G **3**
Station App. *Wind* —7C **12**
Station Rd. *Tap* —5C **4**
Station Rd. *Cipp* —5H **5**
Station Rd. *Egh* —4G **19**
Station Rd. *Langl* —2B **20**
Station Rd. *Wray* —5K **17**
Station Rd. N. *Egh* —4C **19**
Staunton Rd. *Slou* —4C **6**
Stephen Clo. *Egh* —5J **19**
*Stephenson Clo. Slou* —1E **12**
   *(off Osborne St.)*
Stephenson Dri. *Wind* —6A **12**
Stewart Av. *Slou* —4E **6**
Stewart Clo. *M'head* —7A **10**
Stile Rd. *Slou* —2J **13**
Stirling Clo. *Wind* —1G **15**
Stirling Gro. *M'head* —4B **2**
Stirling Rd. *Slou* —4K **5**
Stockdales Rd. *Eton W* —3J **11**
Stockwells. *Tap* —3A **4**
Stoke Cotts. *Slou* —7E **6**
Stoke Ct. Dri. *Stoke P* —1D **6**
Stoke Gdns. *Slou* —7D **6**
Stoke Grn. *Stoke P* —3F **.7**
Stoke Pk. Av. *Farn R* —2B **6**
Stoke Poges La. *Slou & Stoke P*
—7D **6**
Stoke Rd. *Slou* —7E **6**
Stokesay. *Slou* —6E **6**
Stompits Rd. *Holyp* —5J **9**
Stomp Rd. *Burn* —4E **4**
Stonebridge Field. *Eton* —4A **12**
Stonefield Pk. *M'head* —5D **2**
Stoneylands Ct. *Egh* —4F **19**
Stoneylands Rd. *Egh* —4F **19**
Stoney Meade. *Slou* —7A **6**
Stour Clo. *Slou* —2A **12**
Stovell Rd. *Wind* —6A **12**
Stowe Rd. *Slou* —6H **5**
Straight Rd. *Old Win* —4F **17**
Stranraer Gdns. *Slou* —7D **6**
Stratfield Ct. *M'head* —4J **3**
Stratfield Rd. *Slou* —1F **13**
Stratford Clo. *Slou* —3G **5**
Stratford Gdns. *M'head* —1D **8**
Strode's College La. *Egh* —4F **19**
Strode St. *Egh* —3G **19**
Stroma Ct. *Cipp* —6G **5**
Stroud Clo. *Wind* —2G **15**
Stroude Rd. *Egh & Vir W*
—5G **19**
Stroud Farm Rd. *Holyp* —5J **9**
Stuart Clo. *Wind* —1J **15**
Stuart Way. *Wind* —1H **15**
Sturt Grn. *M'head* —5F **9**
Suffolk Clo. *Slou* —5H **5**
Suffolk Rd. *M'head* —1E **8**
Sumburgh Way. *Slou* —4D **6**
Summerlea. *Slou* —7A **6**
Summerleaze Rd. *M'head* —3H **3**
Summers Rd. *Burn* —2F **5**
Sunbury Ct. *Eton* —5C **12**

Sunbury Rd. *Eton* —5C **12**
Sun Clo. *Eton* —5C **12**
Sunderland Rd. *M'head* —4C **2**
Sun La. *M'head* —5F **3**
Sun Pas. *Wind* —7C **12**
Surly Hall Wlk. *Wind* —7J **11**
Surrey Av. *Slou* —4B **6**
Sussex Clo. *Slou* —1G **13**
Sussex Keep. *Slou* —1G **13**
Sussex Pl. *Slou* —1F **13**
Sutton Av. *Slou* —1H **13**
Sutton Clo. *M'head* —6D **2**
Sutton La. *Slou* —5C **20**
Sutton Pl. *Slou* —5C **20**
Swabey Rd. *Slou* —3B **20**
Swallowfield. *Egh* —5B **18**
Swanbrook Ct. *M'head* —5H **3**
Swann Ct. *Chalv* —2D **12**
Swan Ter. *Wind* —6A **12**
Sweeps La. *Egh* —4F **19**
Switchback Clo. *M'head* —2E **2**
Switchback Rd. N. *M'head* —1F **3**
Switchback Rd. S. *M'head* —2E **2**
Switchback, The. *M'head* —2E **2**
Sycamore Clo. *M'head* —1D **8**
Sycamore Clo. *M'head* —2D **8**
Sycamore Ct. *Wind* —2B **16**
Sycamore Wlk. *Egh* —5B **18**
Sycamore Wlk. *G Grn* —5K **7**
Sydney Gro. *Slou* —5B **6**
Sykes Rd. *Slou* —5A **6**
Sylvester Rd. *M'head* —2F **3**

**T**albot Av. *Slou* —1A **20**
Talbot Pl. *Dat* —7H **13**
Talbots Dri. *M'head* —6C **2**
Tall Trees. *Coln* —7E **20**
Tamarind Ct. *Egh* —4F **19**
Tamarisk Way. *Slou* —1A **12**
Tamar Way. *Slou* —4C **20**
Tangier Ct. *Eton* —5C **12**
Tangier La. *Eton* —5C **12**
Taplow Comn. Rd. *M'head*
—1D **4**
Taplow Rd. *Tap* —5D **4**
Tarbay La. *Oak G* —2E **14**
Tatchbrook Clo. *M'head* —4H **3**
Tavistock Clo. *M'head* —4B **2**
Taylor's Bushes Ride. *Wind*
—7F **15**
Taylors Ct. *M'head* —4C **2**
Tectonic Pl. *SL6* —4J **9**
Teesdale Rd. *Slou* —4J **5**
Telford Dri. *Slou* —1K **11**
Tempest Rd. *Egh* —5J **19**
Temple Rd. *Wind* —1B **16**
Ten Acre La. *Egh* —7J **19**
Tennyson Way. *Slou* —3H **5**
Terrace, The. *Bray* —2K **9**
Testwood Rd. *Wind* —7G **11**
Thames Av. *Wind* —6C **12**
Thames Cres. *M'head* —2J **3**
Thames Mead. *Wind* —7H **11**
Thames Rd. *Slou* —3B **20**
Thames Rd. *Wind* —6F **11**
Thames Side. *Wind* —6C **12**
Thames St. *Wind* —7C **12**
Thatchers Dri. *M'head* —7B **2**
Thicket Gro. *M'head* —5A **2**
Third Cres. *Slou* —4B **6**
Thirkleby Clo. *Slou* —7B **6**
Thirlmere Av. *Slou* —4F **5**
Thirlmere Clo. *Egh* —6H **19**
Thompson Clo. *Slou* —3A **20**
Thorncroft. *Egh* —6C **18**
Thorndike. *Slou* —4K **5**

Thorn Dri. *G Grn* —5K **7**
Thorpe Lea Rd. *Egh* —5H **19**
Thorpe Rd. *Stai* —5K **19**
Thrift La. *M'head* —3D **8**
   *(in two parts)*
Thurlby Way. *M'head* —2E **8**
Thurston Rd. *Slou* —5D **6**
Tilstone Av. *Eton W* —4H **11**
Tilstone Clo. *Eton W* —4H **11**
Timbers Wlk. *M'head* —7C **2**
Tinkers La. *Wind* —1G **15**
Tinsey Clo. *Egh* —4G **19**
Tintern Clo. *Slou* —2B **12**
Tite Hill. *Egh* —4D **18**
Tithe Barn Dri. *M'head* —4A **10**
   *(in two parts)*
Tithe Clo. *M'head* —4K **9**
Tithe Ct. *Slou* —3B **20**
Tockley Rd. *Burn* —2E **4**
Tollgate. *M'head* —6B **2**
Tomlin Rd. *Slou* —3H **5**
Topaz Clo. *Slou* —7A **6**
Torin Ct. *Egh* —4C **18**
Torridge Rd. *Slou* —5C **20**
Touchen End Rd. *M'head* —7E **8**
Tower Ho. *Chalv* —2D **12**
Town Sq. *Slou* —1E **12**
Tozer Wlk. *Wind* —2G **15**
Travic Rd. *Slou* —2J **5**
Travis Ct. *Farn R* —2A **6**
Treesmill Dri. *M'head* —2C **8**
Trelawney Av. *Slou* —2J **13**
Trenchard Rd. *Holyp* —5J **9**
Trenches La. *Slou* —1B **20**
Trent Rd. *Slou* —5C **20**
*Trevose Ho. Slou* —3A **6**
   *(off Franklin Av.)*
Trinity Pl. *Wind* —1B **16**
Troutbeck Clo. *Slou* —6E **6**
Trumper Way. *Slou* —7J **5**
Truro Clo. *M'head* —5B **2**
Tubwell Rd. *Stoke P* —1G **7**
Tudor Ct. *M'head* —2K **3**
Tudor Gdns. *Slou* —5F **5**
Tudor La. *Old Win* —6H **17**
Tudor Way. *Wind* —7H **11**
Tuns La. *Slou* —2B **12**
Turner Rd. *Slou* —1H **13**
Turpins Grn. *M'head* —7B **2**
Turton Way. *Slou* —2C **12**
Tweed Rd. *Slou* —5C **20**
Twinches La. *Slou* —7A **6**
Twynham Rd. *M'head* —5C **2**
Tyle Pl. *Old Win* —4F **17**
Tyrell Gdns. *Wind* —2J **15**

**U**llswater Clo. *Slou* —4F **5**
Umberville Way. *Slou* —2J **5**
Underhill Clo. *M'head* —6F **3**
Upcroft. *Wind* —2A **16**
Up. Bray Rd. *Bray* —3K **9**
Up. Lees Rd. *Slou* —2A **6**
Upton Clo. *Slou* —2E **12**
Upton Ct. Rd. *Slou* —2F **13**
Upton Lea Pde. *Slou* —6G **7**
Upton Pk. *Slou* —2D **12**
Upton Rd. *Slou* —2F **13**
Uxbridge Rd. *Slou* —1F **13**

**V**ale Gro. *Slou* —2D **12**
Vale Rd. *Wind* —6J **11**
Vansittart Est. *Wind* —6B **12**
Vansittart Rd. *Wind* —7A **12**

antage Rd. *Slou* —7A **6**
anwall Bus. Pk. *M'head* —7D **2**
anwall Rd. *M'head* —1D **8**
aughan Gdns. *Eton W* —3J **11**
aughan Way. *Slou* —3H **5**
egal Cres. *Egh* —4C **18**
ermont Rd. *Slou* —3J **5**
erney Rd. *Slou* —3B **20**
icarage Av. *Egh* —4H **19**
icarage Ct. *Egh* —5H **19**
icarage Dri. *M'head* —1K **9**
icarage La. *Wray* —7K **17**
icarage Pl. *Slou* —2F **13**
icarage Rd. *M'head* —4G **3**
icarage Rd. *Egh* —4G **19**
icarage Rd. *Stai* —2K **19**
icarage Wlk. *Bray* —1K **9**
icarage Way. *Coln* —6D **20**
ictor Clo. *M'head* —4C **2**
.ctoria Rd. *Eton W* —3H **11**
ictoria Rd. *Slou* —7G **7**
ictoria St. *Egh* —5C **18**
ictoria St. *Slou* —1E **12**
ictoria St. *Wind* —7C **12**
ctor Rd. *Wind* —2B **16**
.gar Rd. *Wind* —7H **11**
illage Rd. *Dor* —2E **10**
*illage Shop. Cen. Slou* —1E **12**
*(off Buckingham Gdns.)*
illiers Rd. *Slou* —4C **6**

**W**ade Dri. *Slou* —7K **5**
Jagner Clo. *M'head* —2A **8**
Jaldeck Rd. *M'head* —5H **3**
Jalker Rd. *M'head* —1H **9**
Jalk, The. *Eton W* —4K **11**
Jallis Ct. *Slou* —1F **13**
Jalnut Lodge. *Chalv* —2C **12**
Jalpole Bus. Cen. *Slou* —5G **5**
Jalpole Rd. *Old Win* —6G **17**
Jalpole Rd. *Slou* —5G **5**
Jaltham Clo. *M'head* —3A **8**
Jaltham Pl. *M'head* —6A **8**
Jaltham Rd. *White* —5A **8**
Jalton La. *Farn R* —1J **5**
Japshott Rd. *Stai* —5K **19**
Jard Gdns. *Slou* —6H **5**
Jard Royal Est. *Wind* —7B **12**
Jard's Pl. *Egh* —5J **19**
Jarner Clo. *Slou* —7H **5**
Jarren Clo. *Slou* —2K **13**
Jarren Pde. *Slou* —7H **7**
Jarrington Av. *Slou* —5B **6**
Jarrington Spur. *Old Win*
—6G **17**
Jarwick Av. *Egh* —7J **19**
Jarwick Av. *Slou* —3B **6**
Jarwick Clo. *M'head* —2C **8**
Jarwick Vs. *Egh* —7J **19**
Jashington Dri. *Slou* —6G **5**
Jashington Dri. *Wind* —2H **15**
Jaterbeach Rd. *Slou* —5C **6**
Jaterman Ct. *Slou* —7H **5**

Watermans Bus. Pk. *Stai* —3K **19**
Waterside Dri. *Langl* —1A **20**
Wavell Gdns. *Slou* —2J **5**
Wavell Rd. *M'head* —6C **2**
Wavendene Av. *Egh* —6H **19**
Waverley Rd. *Slou* —4B **6**
Waylands. *Wray* —5K **17**
Wayside M. *M'head* —4G **3**
Webb Clo. *Slou* —3J **13**
Webster Clo. *M'head* —7B **2**
Weekes Dri. *Slou* —7A **6**
Welbeck Rd. *M'head* —7E **2**
Welby Clo. *M'head* —1B **8**
Welden. *Slou* —5H **7**
Welland Clo. *Slou* —5C **20**
Wellbank. *Tap* —3B **4**
Wellcroft Rd. *Slou* —7A **6**
*Wellesley Path. Slou* —1F **13**
*(off Wellesley Rd.)*
Wellesley Rd. *Slou* —7F **7**
Welley Av. *Wray* —3K **17**
Welley Rd. *Wray & Hort* —5K **17**
Wellhouse Rd. *M'head* —2F **3**
Wellington Rd. *M'head* —5E **2**
Wellington St. *Slou* —7D **6**
Wells Clo. *Wind* —7K **11**
Wendover Pl. *Stai* —4K **19**
Wendover Rd. *Burn* —4E **4**
Wendover Rd. *Stai* —4J **19**
Wentworth Av. *Slou* —2K **5**
Wentworth Cres. *M'head* —6D **2**
Wesley Dri. *Egh* —5G **19**
Wesley Pl. *Wink* —7E **14**
Wessex Way. *M'head* —1C **8**
Westborough Ct. *M'head* —6D **2**
Westborough Rd. *M'head* —6D **2**
Westbrook. *M'head* —4B **10**
West Cres. *Wind* —7J **11**
Westcroft. *Slou* —3A **6**
West Dean. *M'head* —4G **3**
W. End La. *Slou* —1D **6**
Westfield La. *Wex* —5J **7**
Westfield Rd. *M'head* —5C **2**
Westfield Rd. *Slou* —3A **6**
Westgate Cres. *Slou* —6J **5**
Westlands Av. *Slou* —5F **5**
Westlands Clo. *Slou* —5F **5**
Westmead. *Wind* —2A **16**
Westmorland Rd. *M'head* —5E **2**
Weston Rd. *Slou* —4J **5**
W. Point. *Slou* —7G **5**
West Rd. *M'head* —5F **3**
West St. *M'head* —5G **3**
Wethered Dri. *Burn* —4E **4**
Wetton Pl. *Egh* —4F **19**
Wexham Ct. *Wex* —5H **7**
Wexham Pk. La. *Wex* —3H **7**
Wexham Rd. *Slou & Wex*
—1F **13**
Wexham St. *Wex & Stoke P*
—3G **7**
Wexham Woods. *Wex* —4H **7**
Wharf Rd. *Wray* —6H **17**
Wheatbutts, The. *Eton W* —3J **11**
Wheatfield Clo. *M'head* —1B **8**

Wheatland Rd. *Slou* —2G **13**
Wheelwrights Pl. *Coln* —6D **20**
Whitby Rd. *Slou* —6B **6**
Whitchurch Clo. *M'head* —1F **3**
White Acres Dri. *Holyp* —4K **9**
Whitebrook Pk. *M'head* —1K **3**
White Clo. *Slou* —7C **6**
Whiteford Rd. *Slou* —4D **6**
Whitehall La. *Egh* —6F **19**
Whitehart Rd. *M'head* —5G **3**
White Hart Rd. *Slou* —2C **12**
Whitehaven. *Slou* —6E **6**
White Horse Rd. *Wind* —2G **15**
Whiteley. *Slou* —5H **7**
White Lilies Island. *Wind* —6K **11**
White Paddock. *M'head* —3B **8**
White Rock. *M'head* —3J **3**
Whites La. *Dat* —5G **13**
Whittaker Rd. *Slou* —3G **5**
Whittenham Clo. *Slou* —7F **7**
Whittle Parkway. *Slou* —5G **5**
Whurley Way. *M'head* —2F **3**
Wickets, The. *M'head* —5D **2**
Wickett, The. *Chalv* —2D **12**
Wickham La. *Egh* —6G **19**
Wick La. *Egh* —5A **18**
Wick Rd. *Egh* —7A **18**
Widbrook Rd. *M'head* —1J **3**
Wient, The. *Coln* —6D **20**
Wildgreen N. *Slou* —3B **20**
Wildgreen S. *Slou* —3B **20**
Wilford Rd. *Slou* —3K **13**
Willant Clo. *M'head* —3A **8**
William Ellis Clo. *Old Win*
—4F **17**
William St. *Slou* —7E **6**
William St. *Wind* —7C **12**
Willoners. *Slou* —3K **5**
Willoughby Rd. *Slou* —2B **20**
Willowbrook. *Eton* —3C **12**
Willow Clo. *Coln* —6D **20**
Willow Dri. *M'head* —3J **9**
Willow Pde. *Slou* —2B **20**
Willow Pl. *Eton* —5B **12**
Willows Lodge. *Wind* —6G **11**
Willows Riverside Pk. *Wind*
—6F **11**
Willows, The. *Wind* —6G **11**
Willow Wlk. *Egh* —4C **18**
Willson Rd. *Egh* —4B **18**
Wilmot Rd. *Burn* —2E **4**
Wilton Cres. *Wind* —3G **15**
Wiltshire Av. *Slou* —3B **6**
Winchester Dri. *M'head* —2C **8**
Windermere Clo. *Egh* —6G **19**
Windermere Way. *Slou* —4F **5**
Windmill Clo. *Wind* —1A **16**
Windmill Rd. *Slou* —7C **6**
Windrush Av. *Slou* —2C **20**
Windrush Way. *M'head* —4G **3**
Windsor Castle. *Wind* —7D **12**
Windsor Clo. *Burn* —3F **5**
Windsor & Eton Relief Rd. *Wind*
—7A **12**
Windsor La. *Burn* —3F **5**

Windsor Rd. *M'head & Wind*
—2J **9**
Windsor Rd. *Dat* —6F **13**
Windsor Rd. *Old Win & Egh*
—7H **17**
Windsor Rd. *Slou* —2D **12**
Windsor Rd. *Wind* —6E **10**
Windsor Rd. *Wray* —5K **17**
Winkfield Clo. *Wink* —7A **14**
Winkfield Rd. *Wind* —7F **15**
Winter Hill Rd. *M'head* —2B **2**
Wintoun Path. *Slou* —3H **5**
Winvale. *Slou* —2D **12**
Winwood. *Slou* —5H **7**
Withey Clo. *Wind* —7H **11**
Withycroft. *G Grn* —5K **7**
Wolf La. *Wind* —2G **15**
Wood Clo. *Wind* —3B **16**
Woodcote. *M'head* —5B **8**
Woodfield Dri. *M'head* —6B **2**
Woodford Way. *Slou* —2K **5**
Woodhaw. *Egh* —3H **19**
Woodhurst N. *M'head* —3K **3**
Woodhurst Rd. *M'head* —3J **3**
Woodhurst S. *M'head* —3K **3**
Woodland Av. *Slou* —6C **6**
Woodland Av. *Wind* —3J **15**
Woodlands Bus. Pk. *M'head*
—3B **8**
Woodlands Pk. Av. *M'head*
—3B **8**
Woodlands Pk. Rd. *M'head*
—3B **8**
Wood La. *Slou* —2J **11**
Woodlee Clo. *Vir W* —7C **18**
Woodstock Av. *Slou* —3J **13**
Woodstock Clo. *M'head* —3G **3**
Wootton Way. *M'head* —6D **2**
Worcester Clo. *M'head* —2D **8**
Worcester Gdns. *Slou* —1C **12**
Wordsworth Rd. *Slou* —3G **5**
Worple, The. *Wray* —5K **17**
Wraysbury Rd. *Stai* —1H **19**
Wren Ct. *Langl* —2B **20**
Wright. *Wind* —2F **15**
Wright Sq. *Wind* —2G **15**
Wright Way. *Wind* —2F **15**
Wyatt Rd. *Wind* —2G **15**
Wylands Rd. *Slou* —3B **20**
Wymers Clo. *Burn* —1E **4**
Wymer's Wood Rd. *Burn* —1D **4**
Wyndham Cres. *Burn* —1E **4**

**Y**ard Mead. *Egh* —2G **19**
Yarmouth Rd. *Slou* —5B **6**
Ye Meads. *Tap* —7B **4**
Yeoveney Clo. *Stai* —1K **19**
Yeovil Rd. *Slou* —5H **5**
Yew Tree Clo. *M'head* —4F **3**
Yew Tree Rd. *Slou* —2F **13**
York Av. *Slou* —5C **6**
York Av. *Wind* —1A **16**
York Rd. *M'head* —6G **3**
York Rd. *Wind* —1A **16**